recettes minceur

La vie moderne nous oblige sans cesse à jongler entre un emploi du temps chargé et les besoins d'une alimentation équilibrée. C'est une tâche difficile, surtout quand les formules rapides « à emporter » nous poussent à choisir la facilité au détriment de la santé. L'idéal serait de pouvoir préparer en moins d'une demi-heure un repas à la fois équilibré et savoureux.

La tâche n'a rien d'impossible et ce livre vous proposera quantité de recettes délicieuses pour cuisinières pressées et soucieuses du bien-être de leur famille. Certaines sont réalisables en quelques minutes, d'autres se préparent à l'avance, mais toutes sont simples, légères et originales !

Sommaire

Les bases de la cuisine minceur

Une alimentation pauvre en graisses ne signifie pas une alimentation sans graisses ! Notre corps a besoin d'une certaine quantité de matières grasses ; c'est essentiel pour la santé, l'énergie, les cheveux et le teint. Mais nous en consommons souvent beaucoup plus que nécessaire. Même si vous n'avez pas de kilos à perdre, consommez moins de matières grasses saturées : produits laitiers entiers, graisses animales, noix de coco, huile de palme et chocolat. Certains experts du cœur recommandent une consommation journalière de matières grasses correspondant à 25 ou 30 % de l'apport calorique. Soit 65 g pour les hommes et 50 g pour les femmes, en limitant au maximum les graisses saturées !

Manger léger

Évitez les plats à emporter, ainsi que les gâteaux et biscuits industriels. Mangez moins de viande et augmentez votre consommation de poisson, y compris en conserve. Évitez toujours la peau du poulet et remplacez le lait entier et ses dérivés par des produits allégés. Cuisinez avec de l'huile d'olive, et n'oubliez jamais que les fruits, les légumes, le pain et les céréales devraient former la majeure partie de votre alimentation. Rassurez-vous, manger moins gras ne vous condamne ni à une alimentation insipide ni à passer des heures à préparer des repas sophistiqués. Soyez curieuse, restez gourmande de bonnes choses, brodez sur les recettes proposées ici, et vous pourrez très vite faire découvrir à vos convives une cuisine savoureuse et peu calorique qui ne vous prendra pas beaucoup de temps !

Le placard à provisions

Pour éviter de recourir aux plats tout prêts, souvent trop riches et chers, ayez toujours un placard bien garni. Faites de même avec le congélateur et le réfrigérateur, en surveillant toutefois attentivement les dates limites de consommation.

■ Condiments et épices sont les clés du succès pour cuisiner léger et savoureux. Ayez toujours sous la main quelques ingrédients de base : ail, gingembre, piments rouges, fines herbes et épices, moutarde, jus de citron, sauce de soja, sauce Teriyaki, sauce Worcester, vinaigres aromatiques, sauce d'huîtres...

Utilisez les fines herbes en abondance.

Les indispensables

Ces ustensiles vous aideront à cuisiner léger.

■ Les poêles à fond épais antiadhésif, les woks et les plats à four facilitent la cuisine et la vaisselle.

■ Les marmites vapeur (bambou ou inox) et le four micro-ondes évitent les matières grasses. Ils sont fameux pour le poisson et les légumes.

■ Le gril en fonte ou le barbecue permettent de cuisiner les viandes sans graisses, tout en leur conservant beaucoup de saveur.

■ Le papier sulfurisé est idéal pour éviter de graisser les moules à tartes ou à gâteaux et les plaques. À utiliser également pour les cuissons en papillotes, légères et très savoureuses.

■ Dans certains grands magasins, on trouve de l'huile en spray. Ce conditionnement permet de graisser sans excès vos ustensiles, juste assez pour empêcher les aliments de coller. À défaut, vous pouvez mettre de l'huile au fond de votre plat et l'étaler avec un essuie-tout, en éliminant le surplus.

Cuisiner léger

■ Mesurez toujours la quantité d'huile que vous mettez dans la poêle.

■ Éliminez la cuisson en friture ! Faites rôtir les aliments à four chaud (220 °C ; th. 6) sur une plaque recouverte de papier sulfurisé. Ou cuisez-les d'abord à la vapeur ou au micro-ondes, puis passez-les au four après les avoir très légèrement huilés. Cette méthode convient particulièrement aux pommes de terre et aux légumes à racines.

■ Faites revenir les aliments dans un wok ou une poêle antiadhésive.

■ Chauffez la poêle ou le gril avant d'y verser l'huile ; elle s'étalera plus vite et vous en mettrez moins.

■ Quand vous cuisinez à la poêle, pensez à remplacer l'huile par du bouillon, de l'eau, du jus de viande ou du vinaigre aromatique. Au besoin, déglacez dès que les aliments attachent.

■ Faites rôtir la viande sur une grille, dans un plat à four, pour faire s'écouler la graisse.

■ Ôtez tout le gras de la viande avant de la faire cuire.

■ Préparez les ragoûts et les soupes la veille, puis mettez-les au réfrigérateur. Enlevez la graisse solidifiée avant de réchauffer.

■ Épaississez les sauces avec des purées de légumes ; gardez-en toujours un peu au congélateur à cet effet.

Les substituts allégés

Ne vous privez pas totalement de matières grasses, mais remplacez les aliments trop gras par un substitut allégé.

• Remplacez crème et crème glacée par du lait concentré non sucré glacé et fouetté (servi immédiatement) ou de la ricotta allégée fouettée, saupoudrée de sucre glace.

Ricotta allégée fouettée.

■ Remplacez les yaourts entiers et la crème fraîche par du babeurre ou des yaourts allégés.

■ Utilisez de la pâte filo au lieu d'une pâte sablée ou feuilletée. Vaporisez chaque feuille avec un peu d'eau.

Pensez à faire des vinaigrettes allégées.

■ Dans vos vinaigrettes, remplacez la moitié de l'huile par une quantité équivalente d'eau ou de bouillon. On peut également remplacer intégralement l'huile par du bouillon, mais le résultat est moins savoureux.

■ Faites votre crème de coco allégée. Délayez de la noix de coco en poudre dans du lait écrémé. Laissez tremper 30 minutes, puis égouttez au-dessus d'un bol ; jetez la noix de coco. Vous pouvez aussi verser quelques gouttes d'essence de noix de coco dans du lait concentré allégé.

■ Remplacez le beurre et la margarine par de la margarine allégée ou du fromage blanc allégé.

■ Quand vous achetez de la mayonnaise industrielle ou n'importe quelle sauce toute prête, choisissez de préférence des produits allégés.

■ Choisissez de préférence des fromages savoureux. Une

ce qui reste pour un prochain repas.

■ Coupez la viande à l'avance, en bâtonnets ou en cubes, et congelez-la en portions individuelles, faciles à décongeler au moment voulu.

La cuisine au micro-ondes

Apprenez à utiliser intelligemment votre four micro-ondes. Il peut faire mieux que réchauffer et décongeler. C'est l'appareil idéal pour cuire vite et sans graisses. Il se nettoie d'un coup de chiffon !

■ Congelez les restes de pâtes et de riz ; ils se réchaufferont vite et bien au micro-ondes.

■ Une idée de repas léger : sans l'éplucher, piquez une grosse pomme de terre (200 g) et faites-la cuire 4 ou 5 minutes sur puissance maximum. Garnissez-la d'un mélange fromage blanc allégé et de fines herbes. Si vous aimez la peau grillée,

Riche en fibres et pauvre en graisses : le pop-corn est un en-cas délicieux.

■ Pour un taboulé minute : mettez 80 g de boulghour dans un bol à micro-ondes et recouvrez d'eau. Faites cuire 1 minute (puissance maximum). Égouttez sur du papier absorbant.

■ Facilitez-vous la tâche : pour préparer plus aisément un potiron, coupez-le en deux ou trois grosses parts, que vous faites cuire 2 minutes au micro-ondes (puissance maximum).

■ Une recette rapide et sympathique : faites cuire un épi de maïs au micro-ondes sans ôter la feuille, en le laissant environ 4 minutes sur puissance maximum.

■ Pour réchauffer vos plats, choisissez de préférence une puissance moyenne. C'est plus long, mais la chaleur est mieux répartie.

■ Pour cuire les galettes de pain indiennes sans les faire frire, mettez-les deux par deux dans le micro-ondes et cuisez-les 30 secondes (puissance maximum), jusqu'à ce qu'elles aient gonflé.

Guide de la congélation

La plupart des ingrédients peuvent être congelés, seuls ou déjà accommodés en plats. Nous vous proposons ci-dessous un tableau des durées de conservation des principaux aliments.

Pomme de terre au four : un repas léger, sain et savoureux.

petite quantité de parmesan donne ainsi deux fois plus de goût que n'importe quel autre fromage !

Gagner du temps

■ Utilisez de l'ail, du gingembre, du piment, etc., en poudre ; vous pouvez aussi en préparer une grande quantité et congeler ce qui reste après usage.

■ Demandez à votre boucher d'enlever tout le gras visible de la viande que vous lui achetez.

■ Si possible, doublez les doses de la recette et congelez

passez la pomme de terre cuite quelques minutes au four traditionnel.

■ Pour les petits creux, pensez au pop-corn, riche en fibres et pauvre en graisses. Mettez 65 g de maïs à éclater dans un petit sac en papier. Fermez l'ouverture, sans trop serrer. Faites cuire 5 minutes au micro-ondes sur puissance moyenne, jusqu'à ce que le maïs ait éclaté. Sortez le sac avec des pincettes et laissez refroidir 2 minutes avant d'ouvrir. Saupoudrez de sel (facultatif) et servez.

CONSERVATION DES ALIMENTS AU CONGÉLATEUR

Viande et volaille	**4 à 6 mois**
Hachis de viande ou volaille	**2 mois**
Poisson à l'huile	**3 mois**
Poisson blanc	**6 mois**
Crustacés	**2 mois**
Fruits et légumes	**6 mois**
Riz et pâtes cuits	**2 mois**
Crème, fromage, lait	**2 à 3 mois**
Beurre, margarine	**6 mois**
Ragoûts, soupes, tartes	**3 mois**
Gâteaux, biscuits, pains	**3 à 4 mois**
Œufs	**6 mois**

Sur la table en 30 minutes !

Pour ceux ou celles qui rentrent tard et n'ont pourtant pas renoncé à manger équilibré, sans pour autant passer des heures à faire la cuisine, voici une sélection de recettes délicieuses, toutes réalisables en moins de 30 minutes ! Allégées en graisses, elles prouvent une fois pour toutes que repas rapide ne rime pas obligatoirement avec prise de poids et mauvaise alimentation !

Salade marocaine au bœuf

Pour 4 personnes.

250 ml de bouillon de légumes
300 g de couscous
500 g de rumsteck
75 g d'abricots secs émincés
80 g de raisins secs
1 oignon rouge (170 g)
  finement émincé
60 g de menthe finement hachée
2 c. s. d'aneth finement haché
1 c. s. de pignons de pin
2 c. c. de graines de cumin
180 ml de vinaigrette allégée

Portez le bouillon à ébullition dans une grande casserole. Retirez du feu et ajoutez le couscous. Couvrez environ 5 minutes, jusqu'à ce que le liquide soit totalement absorbé.

Pendant ce temps, faites cuire le bœuf sur une plaque en fonte huilée (ou sur un gril ou un barbecue). Coupez en fines tranches.

Aérez le couscous avec une fourchette, puis ajoutez les abricots, les raisins secs, l'oignon et les herbes. Mélangez délicatement.

Dans une petite poêle, faites griller les pignons de pin et les graines de cumin. Mélangez avec la vinaigrette dans un petit bol, puis arrosez le bœuf et le couscous.

Par portion lipides 14,2 g ; fibres 6,3 g ; 2 495 kJ

Soupe d'agneau
à la menthe

Pour 6 personnes.

100 g de vermicelles de riz
1 c. s. d'huile
600 g de filet d'agneau
2 c. c. de poudre de piment
2 c. s. de gingembre râpé
4 gousses d'ail écrasées
80 ml de nuoc mâm
1,5 l de bouillon de poule
1 c. s. de sucre
500 g d'asperges parées et hachées
60 g de coriandre fraîche hachée
85 g de menthe fraîche hachée
**8 petits oignons blancs finement
  hachés**
4 tomates épépinées émincées

Soupe au poulet
et maïs

Pour 4 personnes.

1 oignon (150 g) grossièrement haché
2 gousses d'ail écrasées
**420 g d'épis de maïs égouttés
  (conserve)**
**750 g de petites pommes de terre
  égouttées et grossièrement
  hachées (sous vide)**
1 l de bouillon de poule
**375 g de blancs de poulet découpés
  en morceaux**
150 g de pâtes fraîches aux œufs
2 c. s. de crème fraîche allégée

Dans une grande poêle, faites chauffer de l'huile et faites blondir l'oignon et l'ail.

Ajoutez le maïs, les pommes de terre et le bouillon. Portez à ébullition. Couvrez et laissez mijoter 10 minutes.

Passez le mélange au mixeur, petit à petit, jusqu'à obtenir une purée. Remettez dans la casserole et ajoutez le poulet et les pâtes. Laissez mijoter environ 10 minutes. Servez avec de la crème fraîche.

Par portion lipides 7,5 g ; fibres 5,9 g ; 1 469 kJ

Suggestion de présentation vous pouvez ajouter un peu de persil haché.

Soupe épaisse au poulet et maïs (en haut à gauche) ; soupe d'agneau à la menthe (au centre) ; soupe à la tomate et aux haricots (à droite).

Mettez les vermicelles dans un grand bol ; recouvrez d'eau bouillante et laissez ramollir. Égouttez.

Pendant ce temps, faites chauffer la moitié de l'huile dans une grande poêle et faites dorer l'agneau en plusieurs fournées. Réservez.

Faites chauffer le reste de l'huile et faites cuire le piment, le gingembre et l'ail en remuant sans arrêt. Mouillez avec le nuoc mâm et le bouillon, ajoutez le sucre. Portez à ébullition en tournant.

Ajoutez les asperges et laissez mijoter. En remuant, ajoutez les herbes, les oignons, les tomates, les vermicelles et l'agneau.

Par portion lipides 11,7 g ; fibres 6,2 g ; 1 613 kJ

Soupe à la tomate et aux haricots

Pour 4 personnes.

2 oignons (300 g) grossièrement hachés
2 gousses d'ail écrasées
11 grosses tomates (1 kg) grossièrement hachées
500 ml de bouillon de poule
1 c. s. de sauce Worcestershire
2 c. s. de persil finement haché
400 g de gros haricots blancs égouttés (conserve)

Dans une grande poêle, faites chauffer de l'huile et faites blondir l'oignon et l'ail, en remuant. Sans cesser de tourner, incorporez les tomates et laissez cuire 3 minutes. Mouillez avec le bouillon et la sauce. Portez à ébullition, couvrez et laissez mijoter 15 minutes.

Passez ce mélange au mixeur, petit à petit, jusqu'à ce qu'il soit presque lisse. Remettez dans la casserole ; ajoutez le persil et les haricots en tournant. Laissez mijoter 5 minutes.

Par portion lipides 0,8 g ; fibres 11,2 g ; 417 kJ

Riz sauté aux crevettes

Pour 4 personnes.

Faites cuire à l'avance 500 g de riz long. Étalez-le sur un plateau, couvrez de papier absorbant et mettez au réfrigérateur toute la nuit.

6 champignons parfumés séchés*
  ou champignons de Paris
500 g de crevettes bouquets
1 c. s. d'huile
1 oignon (150 g) finement émincé
1 gousse d'ail écrasée
1 c. s. de gingembre râpé
1 poivron rouge (200 g)
  grossièrement haché
1 carotte (120 g) finement émincée
2 branches de céleri émincées
100 g de pois mange-tout
80 g de germes de soja
6 petits oignons blancs finement
  émincés
60 ml de sauce aux huîtres*
60 ml de sauce hoisin*
1 c. s. de nuoc mâm

Mettez les champignons dans un petit bol. Recouvrez d'eau bouillante, et laissez gonfler 10 minutes. Égouttez. Jetez les pieds, émincez finement les chapeaux. Décortiquez et nettoyez les crevettes, en laissant les queues intactes.

Dans un wok ou une grande poêle, faites chauffer la moitié de l'huile. Faites blondir l'oignon, ajoutez l'ail, le gingembre et les crevettes. Laissez cuire jusqu'à ce que les crevettes changent de couleur. Réservez. Chauffez le reste de l'huile dans le wok et faites revenir le poivron, la carotte, le céleri et les pois. Remettez dans le wok avec les champignons, le riz, le soja, les oignons et les sauces. Chauffez quelques instants en remuant.

Par portion lipides 8,2 g ; fibres 7,3 g ; 1 537 kJ

* À se procurer dans les épiceries asiatiques.

Riz sauté aux crevettes (à gauche) ; risotto aux pignons de pin et Cointreau (à droite).

Risotto aux pignons de pin et Cointreau

Pour 4 personnes.

500 g de filet de porc
1 c. s. de sauce de soja
1 c. c. de zeste d'orange
  finement râpé
3 gousses d'ail écrasées
1 gros oignon (200 g) finement haché
400 g de riz rond
1,25 l de bouillon de poule
125 ml de vin blanc sec
2 c. s. de Cointreau
150 g de petites feuilles d'épinards
2 c. s. de pignons de pin grillés
2 c. s. de thym

Mettez la viande dans un plat à four, badigeonnez avec un mélange de sauce de soja et de zeste d'orange. Faites cuire 20 minutes à four chaud (220 °C ; th. 6). Couvrez pendant 5 minutes puis coupez en petites tranches fines.

Pendant ce temps, faites chauffer de l'huile dans une grande poêle et faites blondir l'ail et l'oignon en remuant. Ajoutez le riz et mouillez avec le bouillon, le vin et le Cointreau. Portez à ébullition, puis couvrez et laissez mijoter 15 minutes, en remuant de temps en temps. Sans ôter le couvercle, retirez du feu et laissez refroidir 10 minutes. Incorporez délicatement les épinards, les pignons de pin, le thym et le porc.

Par portion lipides 7,6 g ; fibres 4,9 g ; 2 572 kJ

Risotto citronné aux épinards et champignons

Pour 4 personnes.

2 oignons (300 g) finement hachés
3 gousses d'ail écrasées
1 c. s. de zeste de citron finement râpé
300 g de champignons de Paris coupés en deux
400 g de riz rond
1,5 l de bouillon de poule
250 ml de vin blanc sec
300 g de petites feuilles d'épinards
2 c. s. de thym-citron grossièrement haché

Dans une grande poêle, faites chauffer de l'huile et faites revenir l'oignon, l'ail, le zeste de citron et les champignons, en remuant. Ajoutez le riz, mouillez avec le bouillon et le vin. Portez à ébullition puis couvrez et laissez mijoter 15 minutes, en remuant de temps en temps. Sans ôter le couvercle, retirez du feu et laissez refroidir 10 minutes. Incorporez délicatement les épinards et le thym-citron.

Par portion lipides 1,6 g ; fibres 7,9 g ; 1 916 kJ

Rouleaux d'agneau tandoori

Pour 4 personnes.

250 g de filet d'agneau
1 c. s. d'épices tandoori
180 ml de yaourt allégé
4 naan
2 c. s. de menthe fraîche hachée
1 c. s. de jus de citron
100 g de chicorée frisée
1 concombre (130 g) paré et finement émincé

Dans un bol, mélangez l'agneau, le tandoori et 60 ml de yaourt allégé. Couvrez et laissez 10 minutes au réfrigérateur.

Faites dorer l'agneau sur une plaque en fonte huilée (ou un gril ou un barbecue) jusqu'à la cuisson désirée. Coupez en petites tranches fines.

Pendant ce temps, chauffez les naan selon les instructions du paquet.

Passez au mixeur le reste de yaourt, la menthe et le jus de citron.

Mettez un peu d'agneau, de frisée, de concombre et de sauce au yaourt dans chaque naan. Roulez et dégustez.

Par portion lipides 6,7 g ; fibres 2,2 g ; 1 274 kJ

Poulet aux épices et riz sauté

Pour 4 personnes.

500 g de riz long
2 c. c. d'huile
2 œufs légèrement battus
500 g de hauts de cuisse de poulet coupés en petites tranches fines
2 oignons (300 g) finement émincés
1 c. c. de cumin en poudre
2 c. c. de coriandre en poudre
1/2 c. c. de graines de cardamome
1 c. c. de cannelle en poudre
2 piments vidés et finement hachés
2 gousses d'ail écrasées
1 gros poivron rouge (300 g) finement émincé
115 g de petits épis de maïs coupés dans la longueur
4 petits oignons blancs finement émincés
2 c. s. de sauce de soja
2 c. s. de coriandre grossièrement hachée

Faites cuire à l'avance 500 g de riz long. Étalez-le sur un plateau, puis couvrez de papier absorbant et mettez au réfrigérateur toute la nuit.

Dans un wok ou une grande poêle, faites chauffer 1/2 cuillerée à café d'huile. Cassez un œuf et faites une petite omelette. Une fois cuite, mettez l'omelette sur une planche, roulez-la et coupez-la en fines lamelles. Procédez de même avec l'autre œuf.

Faites chauffez le reste de l'huile dans le wok, faites dorer le poulet et l'oignon en plusieurs fournées. Toujours dans le wok, faites revenir les épices, les piments et l'ail, et un peu plus tard le poivron et le maïs. Remettez dans le wok avec les morceaux d'omelette, le riz, les oignons blancs, la sauce de soja et la coriandre. Réchauffez en tournant.

Par portion lipides 11,9 g ; fibres 6,1 g ; 1 887 kJ

Risotto citronné aux épinards et champignons (en haut à gauche) ; rouleaux d'agneau tandoori (en bas à gauche) ; poulet aux épices et riz sauté (à droite).

13

Salade niçoise minute

Pour 6 personnes.

125 g de haricots verts
2 grosses boîtes de thon égoutté (850 g)
1 grande salade feuille de chêne
410 g de petites pommes de terre égouttées et coupées en deux (conserve)
250 g de tomates cerises coupées en deux
150 g d'olives noires dénoyautées
125 ml de vinaigrette allégée
2 c. c. de moutarde
1 gousse d'ail écrasée
2 c. c. de cerfeuil

Mettez les haricots dans un bol, recouvrez d'eau bouillante et laissez tremper 5 minutes. Égouttez. Rincez les haricots à l'eau froide, égouttez à nouveau. Cassez le thon en gros morceaux.

Mettez la salade dans un saladier avec les haricots, le thon, les pommes de terre, les tomates et les olives. Dans un petit bol, mélangez la vinaigrette, la moutarde, l'ail et le cerfeuil. Versez sur la salade.

Par portion lipides 4,2 g ; fibres 3,9 g ; 846 kJ

Salade de vermicelle aux crevettes et piments

Pour 4 personnes.

250 g de crevettes bouquets cuites
60 ml de jus de citron vert
2 c. s. de sauce au piment doux
1 piment rouge vidé et émincé
1 piment vert vidé et émincé
2 c. c. de sucre
200 g de vermicelle de riz
2 c. s. de menthe fraîche coupée en lanières

Décortiquez et nettoyez les crevettes, en laissant les queues intactes. Dans un saladier, mélangez les crevettes, le jus de citron, la sauce, les piments et le sucre.

Mettez le vermicelle dans un grand bol ; recouvrez d'eau bouillante et laissez ramollir. Égouttez.

Mélangez les crevettes avec le vermicelle et la menthe.

Par portion lipides 1,4 g ; fibres 1,2 g ; 887 kJ

Salade niçoise minute (ci-dessus) ; salade de vermicelle aux crevettes et piments (à droite).

Salade de pâtes chaudes sauce moutarde

Pour 4 personnes.

Vous pouvez remplacer les farfalle par n'importe quels types de pâtes courtes.

30 g de tomates séchées
250 g de farfalle
160 ml de mayonnaise allégée
2 c. s. de moutarde à l'ancienne
1 c. s. de jus de citron
2 gousses d'ail écrasées
2 c. s. d'eau chaude
250 g de jambon
200 g de petites feuilles de roquette
**2 petits oignons rouges (200 g)
   finement émincés**
**40 g d'olives noires dénoyautées
   et grossièrement émincées**

Mettez les tomates dans un petit bol ; recouvrez d'eau bouillante et laissez gonfler 15 minutes. Égouttez-les et émincez-les finement.

Pendant ce temps, faites cuire les pâtes dans une grande casserole d'eau bouillante. Égouttez, couvrez et réservez.

Dans un petit bol, mélangez la mayonnaise, la moutarde, le jus de citron, l'ail et l'eau chaude.

Coupez le jambon en fines lanières. Dans un saladier, mettez le jambon, les pâtes, les tomates, la sauce moutarde, la roquette, les oignons et les olives. Mélangez délicatement.

Par portion lipides 12,8 g ; fibres 6,3 g ; 1 842 kJ

Salade de chèvre et coquilles Saint-Jacques

Pour 4 personnes.

8 tranches de pain blanc
**12 grandes coquilles Saint-Jacques
    (360 g)**
1 salade romaine
**1 petit oignon rouge (100 g)
    finement émincé**
**150 g de fromage de chèvre
    en morceaux**
200 g de yaourt allégé
60 ml de jus de citron
1 c. s. de moutarde à l'ancienne
1 gousse d'ail écrasée

Éliminez la croûte du pain et coupez les tranches en carrés de 2 cm. Dans une grande poêle, faites chauffer de l'huile et faites dorer les cubes de pain en remuant. Réservez.

Faites dorer les coquilles Saint-Jacques jusqu'à la cuisson désirée.

Dans un saladier, mélangez les cubes de pain, les coquilles Saint-Jacques, la salade, l'oignon et le fromage. Arrosez d'un mélange de yaourt, de jus de citron, de moutarde et d'ail.

Par portion lipides 13,3 g ; fibres 2,9 g ; 1 544 kJ

Salade de pâtes chaudes sauce moutarde (à gauche) ; salade de chèvre et coquilles Saint-Jacques (ci-dessous) ; salade de poulet au sésame (à droite).

Salade de poulet au sésame

Pour 6 personnes.

680 g de blancs de poulet émincé
1 gousse d'ail écrasée
2 c. s. de sauce au piment doux
1/2 c. c. d'huile de sésame
60 ml de vinaigre blanc
2 c. s. de sauce de soja
1 c. s. de jus de citron
**1 petit oignon blanc finement
    émincé**
2 c. c. de sucre
600 g de nouilles fraîches aux œufs
1 poivron jaune (200 g)
1 grosse carotte (180 g)
200 g de cresson de fontaine
1 c. s. d'huile
**250 g d'asperges parées
    et coupées en deux**
2 c. c. de graines de sésame grillées

Dans un grand bol, mélangez le poulet, l'ail et la sauce au piment.

Pour la vinaigrette, mélangez l'huile de sésame, le vinaigre, la sauce de soja, le jus de citron, l'oignon et le sucre.

Faites cuire les nouilles dans une grande casserole d'eau bouillante, égouttez.

Videz le poivron. Coupez le poivron et la carotte en fines bandelettes. Dans un grand saladier, mélangez les nouilles, le poivron, la carotte et le cresson.

Dans un wok ou une grande poêle, faites chauffer l'huile et faites dorer le poulet en plusieurs fournées. Incorporez l'asperge et faites revenir le tout.

Mélangez aux nouilles, arrosez de vinaigrette et saupoudrez de graines de sésame.

Par portion lipides 8 g ; fibres 4,1 g ; 1 410 kJ

Salade aux pêches, jambon et asperges grillées

Pour 4 personnes.

3 grosses pêches (660 g)
6 tranches de jambon à l'italienne (90 g)
500 g d'asperges parées
2 c. s. de jus de citron
2 c. c. d'huile d'olive
100 g de mizuma ou pissenlits

Coupez les pêches en deux, retirez les noyaux et coupez de nouveau en deux. Coupez chaque tranche de jambon en deux. Enroulez les morceaux de pêche dans les morceaux de jambon. Posez-les sur une plaque et cuisez 10 minutes à four chaud (220 °C ; th. 6) pour rendre le jambon croustillant.

Pendant ce temps, faites dorer les asperges sur une plaque en fonte huilée (ou un gril ou un barbecue) jusqu'à la cuisson désirée. Arrosez d'un mélange d'huile d'olive et de jus de citron.

Disposez la salade dans les assiettes, avec quelques asperges citronnées et des pêches au jambon.

Par portion lipides 4,4 g ; fibres 3,8 g ; 480 kJ

Salade de thon aux haricots

Pour 4 personnes.

100 g de mesclun
425 g de miettes de thon égouttées (conserve)
400 g de haricots blancs rincés et égouttés (conserve)
1 petit oignon rouge (100 g) finement émincé
250 g de petites tomates poires jaunes ou tomates cerises
125 ml de vinaigrette allégée
2 c. s. de persil grossièrement haché
2 c. s. de basilic grossièrement haché

Disposez le mesclun dans 4 bols individuels. Dans un bol mélangez le thon, les haricots, l'oignon, les tomates, la vinaigrette, le persil et le basilic. Répartissez dans les 4 petits bols.

Par portion lipides 2,5 g ; fibres 4,3 g ; 609 kJ

Salade aux pêches, jambon et asperges grillées (à gauche) ; salade de thon aux haricots (à droite).

Rouleaux d'agneau à la sauce pimentée

Pour 4 personnes.

125 ml de sauce au piment doux
3 gousses d'ail écrasées
60 ml de bouillon de bœuf
35 g de cacahuètes nature grillées grossièrement hachées
300 g de filet de côtelettes d'agneau
4 tortillas

4 feuilles de romaine
1 petit oignon blanc émincé
80 g de germes de soja

Dans une petite poêle, mélangez la sauce au piment, l'ail, le bouillon et les cacahuètes. Laissez mijoter 5 minutes, jusqu'à ce que vous ayez une sauce.

Pendant ce temps, faites chauffer de l'huile dans une poêle et faites dorer l'agneau jusqu'à la cuisson désirée. Retirez de la poêle couvrez et laissez reposer 5 minutes. Coupez en petites tranches fines.

Badigeonnez les tortillas de sauce, recouvrez d'une feuille de salade et mettez de l'oignon et du soja sur un côté. Recouvrez de petites tranches d'agneau et enroulez. Coupez en deux. Servez les rouleaux avec le reste de sauce.

Par portion lipides 10,2 g ; fibres 6,1 g ; 1 617 kJ

Rouleaux d'agneau à la sauce pimentée (ci-dessus) ; salade aux framboises et fruits de mer (en haut à droite) ; salade de tortellini au saumon (en bas à droite).

Salade aux framboises et fruits de mer

Pour 4 personnes.

On peut utiliser n'importe quels types de crustacés : crevettes, crabe, homard...

400 g de crustacés
2 c. c. d'huile d'olive
1,5 kg de pastèque
250 g de roquette
75 g de framboises
80 ml de vinaigre de framboise
2 c. s. de menthe hachée
2 piments vidés et finement hachés

Coupez les crustacés en deux dans la longueur, rincez à l'eau froide et égouttez.

Dans une grande poêle, faites chauffer de l'huile et faites légèrement dorer les crustacés.

Avec l'outil approprié, faites des boules de pastèque de 2 cm.

Mettez les crustacés, la pastèque, la roquette et les framboises dans un saladier.

À part, mélangez le vinaigre, la menthe et les piments. Versez sur la salade.

Par portion lipides 3,3 g ; fibres 3,6 g ; 501 kJ

Salade de tortellini au saumon

Pour 4 personnes.

Choisissez de préférence des tortellini farcis au jambon ou aux épinards, par exemple.

375 g de tortellini aux épinards
125 ml de yaourt allégé
2 c. c. de moutarde à l'ancienne
60 ml de vinaigrette allégée
2 c. c. d'aneth finement haché
2 c. s. d'eau
1 c. c. de sucre
415 g de saumon rose égoutté (conserve)
1 c. s. de câpres égouttées
2 branches de céleri émincées
1 concombre (130 g) finement émincé

Faites cuire les pâtes dans une grande casserole d'eau bouillante, égouttez. Rincez à l'eau froide et laissez refroidir.

Pendant ce temps, mettez le yaourt, la moutarde, la vinaigrette, l'aneth, l'eau et le sucre dans un petit bol. Battez pour obtenir une sauce crémeuse.

Dans un saladier, mélangez les pâtes, le saumon émietté, les câpres, le céleri et le concombre. Arrosez de sauce et servez.

Par portion lipides 10,1 g ; fibres 1,2 g ; 953 kJ

Pita au concombre et poulet

Pour 4 personnes.

250 g de blancs de poulet
1 concombre (170 g)
1 c. s. de vinaigre de cidre
2 c. c. de sucre
1 piment vidé et finement haché
1 c. c. de sauce de soja
4 pitas
1 petite laitue

Faites dorer le poulet des deux côtés sur une plaque en fonte huilée (ou un gril ou un barbecue) jusqu'à la cuisson désirée. Laissez refroidir et coupez en petites tranches fines.

Pendant ce temps, coupez le concombre en longues lanières avec un économe. Dans un bol, mélangez le concombre, le vinaigre, le sucre, le piment et la sauce de soja. Laissez mariner 10 minutes.

Garnissez les pitas de poulet, de concombre mariné et de laitue.

Par portion lipides 4,7 g ; fibres 3,4 g ; 1 342 kJ

Pizza aux champignons, aubergines et courgettes

Pour 4 personnes.

2 courgettes (240 g)
1 petite aubergine (60 g)
200 g de champignons de Paris finement émincés
2 grandes pitas
70 g de sauce tomate
60 g de gruyère allégé finement râpé
2 c. c. de thym

Rouleaux aux légumes rôtis et saumon

Pour 4 personnes.

2 gros poivrons rouges (700 g)
4 courgettes (480 g)
6 petites aubergines (360 g)
4 pitas
250 g de feuilles de roquette
200 g de saumon fumé en tranches
1 c. c. de zeste de citron
finement râpé
2 c. c. de jus de citron

Coupez les poivrons en quatre et videz-les. Faites-les rôtir sous le gril ou dans un four très chaud (240 °C ; th. 7) la peau vers le haut ; elle doit cloquer et noircir. Recouvrez les poivrons de film plastique ou de papier pendant 5 minutes. Pelez et émincez finement.

Pendant ce temps, émincez les courgettes et les aubergines dans la longueur. Disposez-les en une seule couche sur une plaque huilée et faites légèrement dorer des deux côtés sous le gril ou dans un four chaud (220 °C ; th. 6).

Enroulez chaque pita en cône. Garnissez d'aubergines, de roquette, de courgettes, de poivron et de saumon. Saupoudrez de zeste et arrosez de jus de citron.

Par portion lipides 5,1 g ; fibres 9,4 g ; 1 495 kJ

Pita au concombre et poulet (à gauche) ; pizza aux champignons, aubergines et courgettes (au centre) ; rouleaux aux légumes rôtis et saumon (ci-dessous).

Émincez les courgettes et l'aubergine dans le sens de la longueur. Faites dorer les champignons et les légumes en plusieurs fournées sur une plaque en fonte huilée (ou un gril ou un barbecue).

Mettez les pitas sur une plaque de four, recouvrez uniformément de sauce tomate. Saupoudrez avec la moitié du fromage puis disposez les champignons, les courgettes et l'aubergine. Saupoudrez avec du thym et le reste de gruyère. Faites cuire à four très chaud (240 °C ; th. 7) environ 10 minutes, jusqu'à ce que les pizzas soient dorées et croustillantes.

Par portion lipides 4,9 g ; fibres 4,4 g ; 779 kJ

Omelette à la tomate et au poulet

Pour 2 personnes.

125 ml de bouillon de légumes
20 g de tomates séchées
170 g de blancs de poulet
  découpés en petits morceaux
1 oignon (150 g) finement émincé
1 gousse d'ail écrasée
2 œufs légèrement battus
4 blancs d'œuf légèrement battus
1 c. s. de ciboulette finement hachée

Dans une petite casserole, portez le bouillon à ébullition. Ajoutez les tomates et laissez mijoter 5 minutes. Égouttez au-dessus d'un petit bol et réservez 1 cuillerée à soupe de bouillon. Coupez les tomates.

Dans une poêle de 18 cm de diamètre, faites chauffer de l'huile et faites dorer le poulet avec le bouillon réservé, l'oignon et l'ail. Dans un bol, mélangez les tomates, les œufs, les blancs d'œuf et la ciboulette. Versez sur le poulet et faites cuire à feu doux environ 5 minutes, en retournant de temps en temps. Faites dorer l'omelette sous le gril pendant 3 minutes environ.

Par portion lipides 8,2 g ; fibres 1,7 g ; 978 kJ

Sandwich au bœuf cajun

Pour 4 personnes.

500 g de rumsteck coupé
  en petites tranches fines
1 oignon (150 g) finement émincé
1 poivron rouge (200 g)
  finement émincé
2 c. s. d'épices cajun
3 tomates (570 g)
1 baguette

Dans une grande poêle, faites chauffer de l'huile et faites dorer le bœuf, en plusieurs fournées, jusqu'à la cuisson désirée. Réservez. Faites revenir l'oignon, le poivron et les épices. Coupez les tomates en 8 quartiers et incorporez-les. Laissez épaissir environ 15 minutes. Remettez la viande et mélangez délicatement.

Coupez les extrémités de la baguette. Coupez-la en quatre puis fendez chaque morceau en deux. Répartissez le bœuf cajun dans les sandwichs et servez.

Par portion lipides 6,1 g ; fibres 6,8 g ; 1 620 kJ

Suggestion de présentation vous pouvez garnir les sandwichs de laitue.

Omelette à la tomate et au poulet (en haut à gauche) ; sandwich au bœuf cajun (en bas à gauche) ; bœuf sauté à la mexicaine (à droite).

Bœuf sauté
à la mexicaine

Pour 4 personnes.

Cette recette peut aussi se préparer avec de la côte, du rumsteck, de l'aloyau ou du gîte à la noix.

750 g de filet de bœuf coupé en petites tranches fines

35 g d'épices pour tacos (1 sachet)

1 c. s. d'huile

1 gros oignon rouge (300 g) finement émincé

1 poivron rouge (200 g) finement émincé

1 poivron jaune (200 g) finement émincé

4 petites tomates (520 g) vidées et émincées

2 c. s. de coriandre fraîche

Mettez le bœuf et les épices dans un bol. Dans un wok ou une grande poêle, faites chauffer la moitié de l'huile et faites dorer le bœuf épicé et l'oignon en plusieurs fournées. Réservez.

Faites chauffer le reste de l'huile et faites revenir les poivrons.

Remettez le bœuf dans le wok, avec les tomates et la coriandre. Réchauffez quelques instants.

Par portion lipides 13,4 g ; fibres 5,9 g ; 1 449 kJ

25

Nouilles au soja
et poulet

Pour 4 personnes.

250 g de nouilles complètes
1 c. s. d'huile
600 g de blancs de poulet coupés
en petites tranches fines
200 g de haricots mange-tout
2 c. s. de sauce de soja
4 petits oignons blancs finement
émincés
6 radis (200 g) finement émincés
2 c. s. de coriandre fraîche hachée

Faites cuire les nouilles dans une grande casserole d'eau bouillante et égouttez. Rincez à l'eau chaude, couvrez et réservez.

Pendant ce temps, faites chauffer la moitié de l'huile dans un wok ou une grande poêle et faites revenir le poulet en plusieurs fournées. Réservez. Faites chauffer le reste de l'huile et faites revenir les haricots. Remettez le poulet dans le wok avec la sauce de soja, les oignons et les radis. Faites revenir quelques instants.

Dans un grand bol mélangez les nouilles et la coriandre. Ajoutez le poulet.

Par portion lipides 10,1 g ; fibres 10,1 g ; 1 835 kJ

Sauté de dinde
aux piments et citron

Pour 4 personnes.

500 g de blancs de dinde coupés
en petites tranches fines
2 c. c. de zeste de citron râpé
2 piments vidés et finement émincés
2 c. c. d'huile d'olive
2 gousses d'ail écrasées
1 gros oignon (200 g) finement émincé
600 g de nouilles fraîches
300 g de chou chinois haché
2 c. s. de sauce de soja
60 ml de sauce aux prunes*
180 ml de bouillon de poule

Mélangez la dinde, le zeste et les piments dans un bol. Dans un wok ou une grande poêle, faites chauffer 1 cuillerée à café d'huile et faites dorer le mélange en plusieurs fournées. Réservez.

Faites chauffer le reste de l'huile et faites blondir l'ail et l'oignon. Ajoutez les nouilles et le chou. Laissez sur le feu jusqu'à ce qu'il commence à flétrir. Remettez la dinde dans le wok avec les sauces et le bouillon. Portez la sauce à ébullition et faites légèrement épaissir, en remuant sans arrêt.

Par portion lipides 9,1 g ; fibres 10,1 g ; 3 147 kJ

* À se procurer dans les épiceries asiatiques.

Nouilles au soja et au poulet (à gauche) ; sauté de dinde aux piments et citron (à droite).

Sauté de nouilles au porc Satay

Pour 6 personnes.

500 g de nouilles fraîches aux œufs
1 c. s. d'huile
500 g de filet de porc coupé en petites tranches fines
2 gousses d'ail écrasées
8 petits oignons blancs finement émincés
180 ml de bouillon de bœuf
65 g de beurre de cacahuètes
60 ml de sauce au piment doux
2 c. c. de jus de citron
400 g de légumes sautés asiatiques (1 sachet)

Mettez les nouilles dans un grand bol. Recouvrez d'eau bouillante et laissez ramollir. Égouttez.

Dans un wok ou une grande poêle, faites chauffer la moitié de l'huile et faites dorer le porc en plusieurs fournées. Réservez. Faites chauffer le reste de l'huile et faites blondir l'ail et l'oignon.

Mouillez avec le bouillon, ajoutez le beurre de cacahuètes, la sauce et le jus de citron. Laissez mijoter 1 minute. Remettez le porc dans cette préparation avec les légumes et les nouilles. Faites chauffer quelques instants en remuant.

Par portion lipides 12,7 g ; fibres 3,3 g ; 1 368 kJ

Nouilles aux crevettes sautées

Pour 4 personnes.

500 g de crevettes bouquets crues
200 g de nouilles de riz
1 gousse d'ail écrasée
2 c. s. de sauce de soja
2 c. s. de nuoc mâm
1 c. c. de purée de piment
80 g de germes de soja
60 g de coriandre fraîche

Décortiquez et nettoyez les crevettes en laissant les queues intactes.

Mettez les nouilles dans un grand bol. Recouvrez d'eau bouillante et laissez ramollir. Égouttez, couvrez et réservez.

Faites chauffer de l'huile dans un wok ou une grande poêle. Faites revenir l'ail et les crevettes jusqu'à ce que ces dernières changent de couleur. Ajoutez les nouilles, les sauces et la purée de piment. Faites chauffer quelques instants, puis incorporez le soja et la coriandre en remuant.

Par portion lipides 1 g ; fibres 1,6 g ; 806 kJ

Poulet sauté au piment

Pour 4 personnes.

500 g de blancs de poulet coupés en petites tranches fines
3 piments vidés et émincés
1 gousse d'ail écrasée
300 g de haricots mange-tout
1 gros poivron rouge (350 g) émincé
120 g de germes de soja
60 ml de sauce de soja
2 c. s. de basilic frais haché

Dans un wok ou une grande poêle, faites chauffer de l'huile et faites dorer le poulet en plusieurs fournées. Réservez.

Faites revenir le piment, l'ail, les haricots et le poivron dans le reste d'huile. Remettez le poulet, les germes de soja et faites chauffer quelques instants en tournant avec la sauce de soja. Ajoutez le basilic.

Par portion lipides 3,4 g ; fibres 3,7 g ; 861 kJ

Sauté de nouilles au porc Satay (en haut à gauche) ; poulet sauté au piment (en bas à gauche) ; nouilles aux crevettes sautées (à droite).

28

Rouleaux de poivrons farcis

Pour 4 personnes.

6 poivrons jaunes (1,2 kg)
1 gousse d'ail écrasée
1 oignon (150 g) finement émincé
250 g d'asperges parées et coupées en petits morceaux
40 g d'olives dénoyautées grossièrement hachées
50 g de feta allégée et émiettée
2 c. c. de pignons grillés finement hachés
125 ml de vinaigrette allégée
quelques feuilles d'épinards

Coupez les poivrons en deux et videz-les. Faites-les rôtir sous le gril ou dans un four très chaud (240 °C ; th. 7) la peau vers le haut ; elle doit cloquer et noircir. Recouvrez les poivrons de film plastique ou de papier pendant 5 minutes, puis pelez-les.

Pendant ce temps, faites chauffer de l'huile dans une poêle et faites blondir l'ail et l'oignon. Ajoutez les asperges et les olives et faites revenir en tournant. Versez les asperges dans un grand saladier, incorporez la feta et les pignons. Répartissez le mélange dans les demi-poivrons et enroulez. Mettez les poivrons debout dans les assiettes et arrosez de vinaigrette. Servez sur un lit de petites feuilles d'épinards.

Par portion lipides 5,9 g ; fibres 4,6 g ; 584 kJ

Pois chiches et tomates

Pour 4 personnes.

1 c. s. de beurre
2 oignons (300 g) finement hachés
2 gousses d'ail écrasées
2 c. c. de cumin en poudre
2 c. c. de coriandre en poudre
1/4 c. c. de graines de cardamome
1 c. c. de poivre de Cayenne
1 grosse patate douce grossièrement hachée
500 ml de bouillon de légumes
1 c. s. de concentré de tomates
300 g de pois chiches rincés et égouttés (conserve)
4 tomates (760 g) pelées, vidées et hachées

Légumes croquants au tofu

Pour 4 personnes.

1 c. s. d'huile
300 g de tofu finement haché
500 g d'asperges parées
3 gousses d'ail écrasées
1 oignon (150 g) finement émincé
200 g de haricots mange-tout
200 g de chou chinois émincé
200 g de germes de soja
60 ml de sauce de soja
60 ml de bouillon de légumes
60 ml de mirin
2 c. s. de vinaigre d'alcool blanc

Dans un wok ou une grande poêle, faites chauffer la moitié de l'huile et faites dorer le tofu. Réservez. Coupez les asperges en deux dans la longueur.

Faites chauffer le reste de l'huile et faites blondir l'ail et l'oignon. Ajoutez les haricots et le chou. Laissez sur le feu jusqu'à ce qu'il commence à flétrir. Ajoutez le soja, la sauce, le bouillon, le mirin et le vinaigre. Portez à ébullition en tournant.

Dans un saladier, mélangez le tofu et les légumes.

Par portion lipides 9,6 g ; fibres 9,3 g ; 812 kJ

Rouleaux de poivrons farcis (à gauche) ; pois chiches et tomates (au centre) ; légumes croquants au tofu (ci-dessous).

65 g de lentilles cuites et rincées
2 c. s. de coriandre fraîche finement hachée

Chauffez le beurre dans une grande poêle et faites blondir l'oignon et l'ail, en remuant. Ajoutez les épices et tournez quelques instants. Ajoutez la patate douce, le bouillon, le concentré de tomates, les pois chiches, les tomates et les lentilles. Couvrez et laissez mijoter environ 15 minutes. Incorporez la coriandre.

Par portion lipides 7,3 g ; fibres 11,1 g ; 1 095 kJ (sans les ingrédients suggérés pour la présentation).

Suggestion de présentation vous pouvez servir avec du yaourt allégé, du couscous et un peu plus de coriandre.

Curry thaï aux légumes et poulet

Pour 6 personnes.

- 1 poireau (350 g) coupé en gros morceaux
- 2 c. s. de pâte de curry
- 500 g de blancs de poulet coupés en dés
- 2 x 375 ml de lait concentré allégé (conserves)
- 1 l de bouillon de poule
- 2 c. s. de sauce de soja
- 4 petites courgettes en morceaux (360 g)
- 550 g de chou chinois haché
- 300 g de haricots verts coupés en deux

Curry d'épinards et citrouille

Pour 4 personnes.

- 1 kg de citrouille sans peau
- 1 c. s. de beurre
- 2 oignons (300 g) finement émincés
- 2 gousses d'ail écrasées
- 1 c. c. de gingembre râpé
- 2 petits piments verts vidés et émincés
- 1 c. c. de coriandre en poudre
- 1 c. c. de cumin en poudre
- 1 c. c. de grains de moutarde
- 1/2 c. c. de curcuma en poudre
- 375 ml de bouillon de poule
- 150 g d'épinards grossièrement hachés
- 85 g de coriandre fraîche
- 1 c. s. d'amandes grillées effilées

Coupez la citrouille en cubes de 3 cm. Dans une grande poêle, faites chauffer le beurre et faites blondir l'oignon. Ajoutez l'ail, le gingembre, les piments et les épices. Laissez cuire quelques instants en remuant. Mouillez avec le bouillon et ajoutez les dés de citrouille. Couvrez et laissez mijoter environ 15 minutes. Ajoutez les feuilles d'épinards et la coriandre et tournez sans arrêt, jusqu'à ce qu'elles commencent à flétrir.

Saupoudrez d'amandes et servez le curry.

Par portion lipides 7,4 g ; fibres 5,3 g ; 686 kJ (sans le riz).

Suggestion de présentation vous pouvez accompagner ce plat de riz.

Curry d'épinards et citrouille (ci-dessus) ; curry thaï aux légumes et poulet (au centre) ; curry aux crevettes (à droite).

200 g de petites feuilles d'épinards

1 1/2 c. c. de lait de coco

2 c. s. de jus de citron

60 g de coriandre fraîche grossièrement hachée

Dans une grande poêle, faites chauffer de l'huile et faites revenir le poireau en remuant. Incorporez la pâte de curry et tournez quelques instants. Ajoutez le poulet, laissez dorer puis mouillez avec le lait concentré, le bouillon et la sauce de soja. Laissez épaissir environ 5 minutes. Ajoutez les légumes et laissez mijoter. Incorporez le lait de coco, le jus de citron et la coriandre.

Par portion lipides 8,3 g ; fibres 6,5 g ; 1 216 kJ

Curry aux crevettes

Pour 4 personnes.

1 kg de crevettes bouquets crues

2 c. s. de tikka masala

2 c. s. de chutney à la mangue

80 ml de bouillon de légumes

125 ml de yaourt allégé

125 g de coriandre fraîche grossièrement hachée

2 c. c. de jus de citron

Décortiquez et nettoyez les crevettes en laissant les queues intactes. Dans une grande poêle, faites chauffer le tikka masala et le chutney. Dedans, faites cuire les crevettes en remuant jusqu'à ce qu'elles changent de couleur. Ajoutez le reste des ingrédients et mélangez.

Par portion lipides 6,3 g ; fibres 0,5 g ; 863 kJ (sans les ingrédients suggérés pour la présentation).

Suggestion de présentation vous pouvez servir le curry avec des lanières de galettes de pain indiennes, des nouilles de riz et des quartiers de citron.

Thon
aux légumes grillés

Pour 4 personnes.

3 pommes de terre (600 g)
2 citrons (280 g)
2 petits concombres finement émincés
4 petits steaks de thon (600 g)
2 c. c. de grains de poivre vert
 égouttés
2 c. c. de petites câpres égouttées

Faites cuire les pommes de terre à l'eau, à la vapeur ou au micro-ondes. Découpez chacune d'elles en 4 tranches, puis chaque citron en 6 tranches. Faites griller le citron, les pommes de terre et le concombre en plusieurs fournées sur une plaque ou un gril huilés. Couvrez et réservez.

Faites griller le thon des deux côtés sur le même gril jusqu'à la cuisson désirée. Couvrez et réservez.

Toujours sur le même gril, réchauffez les grains de poivre et les câpres.

Répartissez les pommes de terre dans les assiettes puis ajoutez du thon, du citron et des concombres. Saupoudrez de câpres et de grains de poivre.

Par portion lipides 4,7 g ; fibres 4,8 g ; 1 212 kJ

Filets de poisson
citronnés sur lit
de poireaux

Pour 4 personnes.

750 ml de bouillon de poule
2 poireaux (700 g) coupés en gros
 morceaux
125 g de citronnelle hachée
2 piments vidés et finement hachés
1 c. s. de zeste de citron vert
2 c. s. d'huile
4 filets de poisson blanc (1,2 kg)

Dans une casserole, portez le bouillon à ébullition avec le poireau. Laissez mijoter puis égouttez au-dessus d'un bol. Réservez le bouillon.

Pendant ce temps, mélangez la citronnelle, le piment, le zeste de citron vert et l'huile dans un petit bol. Mettez les filets sur la plaque du four et recouvrez-les de cette préparation. Faites cuire à four chaud (220 °C ; th. 6) environ 15 minutes, jusqu'à la cuisson désirée.

Faites chauffer le bouillon réservé. Servez le poisson sur un lit de poireaux et arrosez de bouillon.

Par portion lipides 9,4 g ; fibres 5,4 g ; 1 593 kJ

Thon aux légumes grillés (à gauche) ; filets de poisson citronnés sur lit de poireaux (ci-dessus).

Poisson grillé sauce piquante

Pour 4 personnes.

2 concombres (260 g) vidés et finement hachés

2 radis finement hachés

4 tomates (300 g) épépinées finement hachées

1 poivron jaune (200 g) vidé et finement haché

1/2 c. c. de tabasco

1 c. s. de vinaigre de xérès

4 petites escalopes de poisson désossé (700 g)

Mélangez les concombres, les radis, les tomates, le poivron, le tabasco et le vinaigre dans un petit bol.

Faites griller le poisson des deux côtés sur une plaque en fonte huilée (ou un gril ou un barbecue) jusqu'à la cuisson désirée. Servez avec la sauce piquante.

Par portion lipides 4,8 g ; fibres 2,4 g ; 870 kJ

Poisson poêlé
au vin blanc

Pour 4 personnes.

1 c. s. de margarine allégée
1 oignon (150 g) finement haché
80 ml de vin blanc sec
125 ml de crème fleurette allégée
4 petits filets de poisson (800 g)
**1 c. s. de cerfeuil grossièrement
  haché**

Dans une petite poêle, chauffez la margarine et faites blondir l'oignon en remuant. Mouillez avec le vin et laissez réduire. Ajoutez la crème et laissez épaissir la sauce.

Pendant ce temps, faites chauffer l'huile dans une grande poêle et faites dorer les filets des deux côtés jusqu'à la cuisson désirée. Incorporez le cerfeuil dans la sauce. Servez le poisson arrosé de sauce au vin blanc.

Par portion lipides 13,8 g ; fibres 0,7 g ; 1 358 kJ

Suggestion de présentation accompagnez ce plat avec des pommes de terre sautées.

Saumon
sauce aux câpres

Pour 4 personnes.

2 c. s. de crème fraîche allégée
1 c. s. de petites câpres égouttées
2 c. c. d'aneth grossièrement haché
2 c. c. de crème de raifort
1 c. c. de jus de citron
4 petits filets de saumon (600 g)

Dans un bol, mélangez la crème fraîche, les câpres, l'aneth, la crème de raifort et le jus de citron.

Dans une grande poêle, faites chauffer de l'huile et faites dorer le saumon des deux côtés jusqu'à la cuisson désirée. Servez le saumon arrosé de sauce aux câpres.

Par portion lipides 11,6 g ; fibres 0,4 g ; 871 kJ

Poisson grillé sauce piquante (à gauche) ; poisson poêlé au vin blanc (en haut à droite) ; saumon sauce aux câpres (en bas à droite).

Dinde sautée au thym

Pour 6 personnes.

**750 g de blancs de dinde coupés
en deux**
1 gros oignon (200 g) émincé
4 gousses d'ail écrasées
60 ml de jus de citron
125 ml de lait concentré allégé
125 ml de bouillon de poule
1 c. s. de thym
**330 g d'épinards grossièrement
hachés**
1 c. c. de maïzena
1 c. c. d'eau

Dans une grande poêle, faites chauffer de
l'huile et faites dorer la dinde en plusieurs
fournées. Réservez. Faites blondir l'oignon,
l'ail et le jus de citron en remuant. Mouillez
avec le lait et le bouillon, puis ajoutez le thym,
les épinards et la maïzena délayée dans l'eau.

Remettez la dinde dans la poêle avec son jus.
Réchauffez en tournant.

Par portion lipides 4,7 g ; fibres 2,3 g ;
778 kJ (sans les ingrédients suggérés pour la
préparation)

Suggestion de présentation vous
pouvez servir la dinde avec une purée de
pommes de terre et des légumes vapeur.

Poulet grillé à la mangue

Pour 4 personnes.

*On peut remplacer les mangues fraîches
par des mangues en boîte (450 g).*

4 blancs de poulet (700 g)
**120 g d'épinards coupés en fines
lanières**
**1 oignon rouge (170 g) finement
haché**

1 mangue (430 g) finement hachée
**1 c. s. de menthe fraîche
grossièrement hachée**
20 g de parmesan râpé
60 ml de sauce au piment doux

Faites dorer le poulet sur une plaque en
fonte huilée (ou un gril ou un barbecue).

Pendant ce temps, mélangez dans un bol,
les épinards, l'oignon, la mangue, la menthe,
le fromage et la sauce au piment. Remuez
énergiquement.

Servez le poulet garni de sauce.

Par portion lipides 6,3 g ; fibres 3,3 g ;
1 222 kJ

*Dinde sautée au thym (ci-dessus) ; poulet grillé à la
mangue (à droite).*

Poulet poché
sauce tropicale

Pour 4 personnes.

500 ml de bouillon de poule
4 blancs de poulet (700 g)
1/2 petite papaye (400 g) hachée
1/2 avocat (125 g) haché
170 g de pastèque hachée
1 c. s. de jus de citron
2 c. c. de rhum
**2 c. c. de menthe fraîche coupée
  en lanières**

Dans une grande casserole, portez le bouillon à ébullition et ajoutez le poulet. Laissez mijoter environ 10 minutes. Sortez le poulet et séchez-le avec du papier absorbant. Couvrez et laissez refroidir au réfrigérateur.

Coupez le poulet en petites tranches. Servez avec les autres ingrédients mélangés.

Par portion lipides 9,3 g ; fibres 1,9 g ; 1 168 kJ

Poulet poché sauce tropicale (à gauche) ; poulet et pâtes au pistou rouge (ci-dessous) ; médaillons de poulet au gingembre et citron vert (à droite).

Poulet et pâtes au pistou rouge

Pour 4 personnes.

Nous avons utilisé du pistou aux poivrons, mais vous pouvez utiliser n'importe quel pistou « rouge », à la tomate par exemple.

4 blancs de poulet (700 g)
75 g de pistou aux poivrons
375 g de spaghettis
70 g de miettes de pain rassis
85 g de ciboulette hachée
2 c. c. de moutarde à l'ancienne
125 ml de bouillon de poule

Badigeonnez le poulet avec la moitié du pistou. Faites dorer des deux côtés sur une plaque en fonte huilée (ou un gril ou un barbecue). Couvrez et réservez.

Pendant ce temps, faites cuire les spaghettis dans une grande casserole d'eau bouillante. Égouttez, rincez à l'eau froide et égouttez à nouveau.

Dans une grande poêle, faites chauffer de l'huile et faites dorer les miettes de pain en remuant. Incorporez les spaghettis, le reste du pistou, la ciboulette, la moutarde et le bouillon. Réchauffez en tournant.

Par portion lipides 12,3 g ; fibres 5,4 g ; 2 596 kJ

Suggestion de présentation vous pouvez servir les spaghettis accompagnés de tranches de poulet et de quartiers de tomates.

Médaillons de poulet au gingembre et citron vert

Pour 4 personnes.

340 g de blancs de poulet
1 c. s. de zeste de citron vert
1 c. s. de gingembre râpé
2 c. c. de cumin en poudre
1 blanc d'œuf
2 petits oignons blancs émincés
35 g de farine

Sauce pimentée

2 poivrons rouges (400 g)
1 oignon (150 g) finement haché
4 piments finement hachés
415 g de dés de tomates (conserve)
1 c. s. de sucre

Hachez finement le poulet au mixeur. Ajoutez le zeste, le gingembre, le cumin, le blanc d'œuf et l'oignon. Mixez pour obtenir une pâte. Façonnez 8 médaillons à la main et roulez-les dans la farine.

Dans une grande poêle, faites chauffer de l'huile et faites dorer les médaillons environ 2 minutes de chaque côté. Mettez-les sur la plaque du four et faites cuire à four modéré (180 °C ; th. 4) pendant 15 minutes. Servez avec la sauce pimentée.

Sauce pimentée Coupez les poivrons en quatre et videz-les. Faites rôtir sous le gril ou dans un four très chaud (240 °C ; th. 7) la peau vers le haut ; elle doit cloquer et noircir. Recouvrez les poivrons de film plastique ou de papier pendant 5 minutes. Pelez et hachez finement.

Dans une petite poêle, faites chauffer de l'huile et faites revenir l'oignon et le piment 2 minutes environ en tournant sans arrêt. Incorporez la tomate et le sucre, laissez mijoter 5 minutes, puis incorporez le poivron.

Par portion lipides 4,3 g ; fibres 3,8 g ; 901 kJ

Rissoles d'agneau et feta

Pour 4 personnes.

400 g de hachis d'agneau
1 petit oignon (80 g) finement haché
1 gousse d'ail écrasée
40 g d'olives noires dénoyautées hachées
60 g de feta allégée et émiettée
35 g de miettes de pain rassis
1 blanc d'œuf

Passez tous les ingrédients au mixeur. Façonnez 8 médaillons avec cette pâte.

Dans une grande poêle, faites chauffer de l'huile et faites dorer les médaillons des deux côtés, jusqu'à ce qu'ils soient bien cuits.

Par portion lipides 6,4 g ; fibres 1,1 g ; 808 kJ

Poulet croustillant aux épices

Pour 4 personnes.

12 blancs de poulet (900 g)
50 g de farine
2 blancs d'œuf légèrement battus
35 g de chapelure
35 g de pétales de maïs (corn flakes) émiettés
2 c. c. de sel et d'ail haché
1 c. c. de poivre

Roulez les blancs de poulet dans la farine et secouez l'excès. Roulez-les dans l'œuf puis dans la chapelure, le sel et le poivre. Couvrez et mettez au réfrigérateur pendant 15 minutes.

Posez les blancs de poulet sur la plaque du four et faites cuire à four chaud (220 °C ; th. 6) 15 minutes environ.

Par portion lipides 10,5 g ; fibres 2 g ; 1 873 kJ

Agneau en croûte de sésame

Pour 4 personnes.

2 gousses d'ail écrasées
1 c. s. de jus de citron
1 c. s. de persil finement haché
2 c. c. de moutarde
500 g de filet de côtelette d'agneau
1 c. s. de graines de sésame blanches
1 c. s. de graines de sésame noires

Dans un petit bol, mélangez l'ail, le jus de citron, le persil et la moutarde.

Mettez la viande sur un gril ou dans un plat à four. Badigeonnez l'agneau de cette préparation à l'ail et saupoudrez d'un mélange de graines de sésame. Faites dorer à four très chaud (240 °C ; th. 7) pendant 15 minutes environ, jusqu'à la cuisson désirée. Retirez du four, couvrez et laissez reposer 5 minutes.

Coupez la viande en petites tranches juste avant de servir.

Par portion lipides 8,3 g ; fibres 1,1 g ; 813 kJ

Boulettes d'agneau et feta (à gauche) ; poulet croustillant aux épices (en haut à droite) ; agneau en croûte de sésame (en bas à droite).

Côtelettes de porc et sauce à la tomate

Pour 4 personnes.

1 oignon (150 g) finement haché
1 c. c. de cardamome en poudre
8 tomates (600 g) coupées en deux
50 g de sucre roux
60 ml de vinaigre balsamique
60 ml d'eau
4 côtelettes de porc (720 g)

Dans une grande poêle, faites chauffer de l'huile et faites blondir l'oignon. Ajoutez la cardamome, les tomates et le sucre, et tournez pour dissoudre le sucre. Mouillez avec le vinaigre et l'eau. Portez à ébullition et laissez épaissir environ 20 minutes.

Pendant ce temps, faites dorer l'agneau sur une plaque en fonte huilée (ou un gril ou un barbecue) jusqu'à la cuisson désirée.

Par portion lipides 13,5 g ; fibres 2,8 g ; 1 235 kJ (sans les pâtes)

Suggestion de présentation vous pouvez servir les côtelettes et la sauce avec des pâtes.

Porc aux cacahuètes

Pour 6 personnes.

2 c. s. de beurre de cacahuètes
2 c. s. de yaourt allégé
2 c. c. de jus de citron
1 gousse d'ail écrasée
2 c. c. de miel
1 c. c. de cumin en poudre
6 petites côtelettes de porc (400 g)

Dans un petit bol, mélangez énergiquement le beurre de cacahuètes, le yaourt, le jus de citron, l'ail, le miel et le cumin. Badigeonnez la viande de ce mélange, puis faites dorer sur une plaque en fonte huilée (ou un gril ou un barbecue) jusqu'à la cuisson désirée.

Par portion lipides 13,5 g ; fibres 1,5 g ; 1 010 kJ

Veau et pâtes aux haricots verts

Pour 4 personnes.

250 g de lasagnes ondulées
1 c. s. d'huile d'olive
500 g de sous-noix de veau coupée en petites tranches fines
1 oignon rouge (170 g) finement émincé
300 g de champignons de Paris coupés en deux
6 tranches de jambon de pays (90 g)
250 g de haricots verts surgelés et décongelés
1 c. s. de sauge fraîche finement hachée
60 ml de vinaigre balsamique
180 ml de bouillon de poule

Coupez les lasagnes en carrés de 5 cm et faites-les cuire dans une grande casserole d'eau bouillante. Égouttez, couvrez et réservez.

Pendant ce temps, faites chauffer la moitié de l'huile dans une grande poêle et faites dorer la viande et l'oignon en plusieurs fournées. Réservez. Faites chauffer le reste de l'huile et faites revenir les champignons en remuant. Remettez la viande dans la poêle et ajoutez le jambon, les haricots, la sauge, le vinaigre et le bouillon. Faites chauffer en remuant.

Répartissez les morceaux de lasagnes dans des bols individuels et garnissez de viande.

Par portion lipides 10,1 g ; fibres 7,5 g ; 1 970 kJ

Côtelettes de porc et sauce à la tomate (en haut à gauche) ; veau et pâtes aux haricots verts (en bas à gauche) ; porc aux cacahuètes (à droite).

Petits rôtis d'agneau en croûte

Pour 4 personnes.

2 petits rôtis d'agneau (700 g)
1 c. s. de moutarde à l'ancienne
2 c. c. de romarin finement haché
2 c. c. de sel

Dans une grande poêle, faites chauffer de l'huile et faites dorer l'agneau. Mettez la viande sur un gril ou dans un plat à four. Badigeonnez de moutarde et saupoudrez d'un mélange de romarin et de sel.

Faites dorer à four chaud (220 °C ; th. 6) pendant 20 minutes environ, jusqu'à la cuisson désirée. Retirez du four, couvrez et laissez reposer 5 minutes.

Coupez en tranches épaisses juste avant de servir.

Par portion lipides 6,5 g ; fibres 0,2 g ; 903 kJ

Steaks aux poivrons

Pour 4 personnes.

1 petit poivron rouge (150 g)
finement haché
1 petit poivron vert (150 g) finement
haché
1 oignon rouge (170 g) finement
haché
1 grosse tomate (250 g) épépinées
finement hachée
1 c. s. de coriandre fraîche hachée
60 ml de vinaigrette allégée
2 gousses d'ail écrasées
1 c. c. de cumin en poudre
4 petits steaks pavés de filet de bœuf
(600 g)

Dans un bol, mélangez énergiquement les poivrons, l'oignon, la tomate, la coriandre, la vinaigrette, l'ail et le cumin.

Faites dorer les steaks sur une plaque en fonte huilée (ou un gril ou un barbecue) jusqu'à la cuisson désirée. Servez avec la sauce aux poivrons.

Par portion lipides 10,1 g ; fibres 2,5 g ; 1 091 kJ

Petits rôtis d'agneau en croûte (à gauche) ; steaks aux poivrons (à droite).

Pâtes au poulet, lentilles et épinards

Pour 4 personnes.

2 c. c. d'huile
1 petit oignon (80 g) finement haché
2 gousses d'ail écrasées
150 g de hachis de poulet
100 g de lentilles rouges
680 ml de bouillon de poule
2 c. s. de concentré de tomates
250 g de petites feuilles d'épinards
375 g de conchiglie

Dans une poêle, faites chauffer l'huile et faites blondir l'oignon et l'ail en remuant. Ajoutez le poulet et laissez dorer, toujours en remuant. Incorporez les lentilles, le bouillon et le concentré de tomates. Laissez épaissir environ 10 minutes. Ajoutez les épinards et laissez cuire jusqu'à ce qu'ils commencent à flétrir.

Pendant ce temps, faites cuire les pâtes dans une grande casserole d'eau bouillante. Égouttez.

Mélangez les pâtes et la sauce avant de servir.

Par portion lipides 6 g ; fibres 10,8 g ; 1 995 kJ

Pâtes aux artichauts, olives et tomates

Pour 4 personnes.

2 c. c. d'huile d'olive
2 gousses d'ail écrasées
1 oignon (150 g) finement haché
60 ml de vin blanc sec
2 x 425 g de tomates non égouttées (conserves)
2 c. s. de concentré de tomates
1/2 c. c. de sucre
80 g d'olives noires dénoyautées
390 g de cœurs d'artichauts égouttés et coupés en quatre
2 c. s. de basilic coupé en morceaux
375 g de tagliatelles
25 g de parmesan en paillettes

Dans une grande poêle, faites chauffer l'huile et faites blondir l'ail et l'oignon. Ajoutez le vin, les tomates pelées, le concentré de tomates et le sucre. Laissez épaissir environ 15 minutes. Ajoutez les olives, les cœurs d'artichauts et le basilic. Chauffez en remuant.

Pendant ce temps, faites cuire les pâtes dans une grande casserole d'eau bouillante. Égouttez.

Mélangez les pâtes et la moitié de la sauce. Versez le reste de la sauce sur les pâtes, saupoudrez de parmesan et servez.

Par portion lipides 7 g ; fibres 11,3 g ; 1 928 kJ

Pâtes aux champignons rôtis

Pour 4 personnes.

200 g de champignons rosés des prés
200 g de champignons de Paris
200 g de champignons bruns suisses
250 g de tomates cerises
125 ml de bouillon de poule
2 c. c. de sel et d'ail haché
375 g de fettucine
20 g de parmesan grossièrement râpé
**65 g de basilic frais coupé
    en morceaux**

Coupez les rosés des prés en quatre. Mélangez tous les champignons, les tomates, et le bouillon dans un plat à four ; saupoudrez de sel. Faites cuire à four chaud (220 °C ; th. 6) environ 20 minutes.

Pendant ce temps, faites cuire les fettucine dans une grande casserole d'eau bouillante. Égouttez.

Mélangez les fettucine et la sauce aux champignons. Saupoudrez de parmesan et de basilic.

Par portion lipides 3,7 g ; fibres 7,5 g ; 1 664 kJ

Pâtes au poulet, lentilles et épinards (à gauche) ; pâtes aux artichauts, olives et tomates (ci-contre à gauche) ; pâtes aux champignons rôtis (ci-dessous).

Bœuf au vin rouge et polenta

Pour 4 personnes.

4 petits filets de bœuf (600 g)
180 ml de vin rouge
80 ml de gelée de groseilles
1 l de bouillon de poule
250 g de polenta
40 g de parmesan finement râpé

Dans une grande poêle, faites chauffer de l'huile et faites dorer la viande jusqu'à la cuisson désirée. Couvrez et réservez.

Mettez le vin et la gelée de groseilles dans la même poêle et faites épaissir la sauce en remuant. Couvrez et réservez.

Pendant ce temps, portez le bouillon à ébullition dans une grande casserole et jetez-y la polenta. Laissez épaissir environ 5 minutes en remuant, et incorporez le parmesan.

Servez les steaks sur la polenta et arrosez de sauce au vin rouge.

Par portion lipides 14,6 g ; fibres 2,1 g ; 2 360 kJ

Pâtes aux poivrons rouges et feta

Pour 4 personnes.

Nous avons utilisé des « rigatoni » mais vous pouvez choisir d'autres types de grosses pâtes courtes.

375 g de rigatoni
2 tomates (380 g) épépinées finement émincées
1 petit oignon rouge (100 g) finement émincé
65 g de persil
90 g de feta allégée

Sauce au poivron rouge

1 petit poivron rouge (150 g)
1 gousse d'ail écrasée
1 c. c. de thym
1 c. s. de vinaigre
1 c. s. de jus de citron
80 ml de bouillon de légumes

Faites cuire les rigatoni dans une grande casserole d'eau bouillante et égouttez.

Dans un grand bol, mélangez les pâtes, la tomate, l'oignon, le persil et la sauce au poivron. Saupoudrez de miettes de feta.

Sauce au poivron rouge Coupez le poivron en quatre et videz-le. Faites-le rôtir sous le gril ou dans un four très chaud (240 °C ; th. 7) la peau vers le haut ; elle doit cloquer et noircir. Recouvrez le poivron de film plastique ou de papier pendant 5 minutes. Pelez et hachez grossièrement. Passez le poivron au mixeur avec le reste des ingrédients jusqu'à obtenir une sauce lisse. Versez la sauce dans un petit bol au travers d'une passoire.

Par portion lipides 4,6 g ; fibres 6,9 g ; 1 688 kJ

Bœuf au vin rouge et polenta (à gauche) ; pâtes aux poivrons rouges et feta (ci-dessous).

Des plats à réchauffer

Ralentissez le rythme de vos journées grâce à un minimum de prévoyance et de préparation ! Les recettes proposées ici pourront être préparées un jour ou deux à l'avance et conservées au réfrigérateur. Il vous suffira ensuite de réchauffer le plat. Vous pourrez ainsi proposer un délicieux repas maison en quelques minutes seulement... Idéal pour les invités de dernière minute !

Crêpes et brochettes de porc hoisin

Pour 4 personnes.

Trempez les piques en bambou dans l'eau au moins 1 heure avant de servir, pour éviter qu'elles ne brûlent.

**750 g de filet de porc coupé
    en petites tranches fines**
125 ml de sauce hoisin*
2 c. s. de sauce aux prunes*
2 gousses d'ail écrasées
1 1/2 c. c. de sucre
225 g de farine
180 ml d'eau bouillante
2 petits oignons blancs
1 petit concombre (130 g)

* À se procurer dans les épiceries asiatiques.

Dans un grand bol, mélangez la viande, les sauces et l'ail. Couvrez et mettez au réfrigérateur pendant 3 heures au moins.

Dans un autre grand bol, mélangez le sucre et la farine. Mouillez avec l'eau et tournez énergiquement avec une cuillère en bois. Travaillez la pâte sur une surface farinée, environ 10 minutes. Enveloppez-la dans du film plastique et laissez reposer 30 minutes. Divisez la pâte en 16 portions et roulez chaque morceau pour qu'il forme un cercle de 16 cm. Dans une petite poêle, faites chauffer de l'huile et faites dorer les crêpes une par une de chaque côté. Couvrez-les pour éviter qu'elles ne se dessèchent.

Embrochez les morceaux de viande sur les 12 piques. Faites dorer les brochettes en plusieurs fournées sur une plaque en fonte huilée (ou un gril ou un barbecue) jusqu'à la cuisson désirée. Si vous utilisez des crêpes préparées à l'avance, réchauffez-les en les passant 10 minutes à four modéré (180 °C ; th. 4), après les avoir enveloppées dans du papier aluminium.

Pendant ce temps, émincez finement les oignons en diagonale. Coupez les concombres en deux dans la longueur puis videz-les et émincez-les finement, toujours dans la longueur.

Par portion lipides 5,5 g ; fibres 6,2 g ; 2 076 kJ (sans la sauce).

Suggestion de présentation vous pouvez servir les brochettes avec les crêpes chaudes, l'oignon, le concombre et un peu plus de sauce aux prunes.

Soupe de pois cassés et croûtons

Pour 4 personnes.

**2 tranches de pain complet épaisses
huile**
800 g de jambon
400 g de pois cassés
2 oignons (300 g) finement hachés
**2 pommes de terre (400 g)
grossièrement hachées**
2,5 l d'eau froide
250 g de petits pois surgelés
250 ml d'eau supplémentaire environ

Coupez le pain en gros dés. Vaporisez un plat à four d'une légère couche d'huile, disposez les dés de pain et huilez légèrement. Faites griller 10 minutes environ à four chaud (220 °C ; th. 6) en retournant les cubes de temps en temps. Laissez refroidir.

Galettes de pommes de terre aux lentilles

Pour 4 personnes.

1 kg de grosses pommes de terre
100 g de lentilles rouges
2 c. c. d'huile d'olive
1 petit oignon (80 g) finement haché
1 gousse d'ail écrasée
1 œuf légèrement battu
2 c. s. de ciboulette finement hachée
1 c. s. de basilic coupé en lanières
25 g de parmesan finement râpé
125 ml de sauce au piment doux

Faites cuire les pommes de terre à l'eau, à la vapeur ou au micro-ondes, puis passez-les au presse-purée.

Faites cuire les lentilles dans une grande casserole d'eau bouillante, 8 minutes environ. Égouttez, rincez à l'eau froide et égouttez de nouveau.

Dans une petite poêle, faites chauffer l'huile et faites blondir l'oignon et l'ail en remuant. Dans un grand bol, mélangez l'oignon, la purée de pommes de terre, les lentilles, l'œuf et les herbes. Façonnez 12 galettes à la main. Laissez-les durcir au réfrigérateur.

Recouvrez la plaque du four de papier sulfurisé. Posez les galettes dessus, et saupoudrez de parmesan. Faites dorer à four modéré (200 °C ; th. 5) environ 30 minutes. Servez les galettes avec de la sauce au piment doux.

Par portion lipides 7,7 g ; fibres 9,6 g ; 1 453 kJ

Suggestion de présentation accompagnez ce plat d'une salade.

Galettes de pommes de terre aux lentilles (ci-dessus) ; soupe de pois cassés et croûtons (au centre) ; soupe aux carottes et lentilles, toasts au carvi (à droite).

Découpez la couenne du jambon. Rincez les pois cassés à l'eau froide jusqu'à ce que l'eau soit propre. Égouttez.

Dans une grande casserole, faites chauffer de l'huile et faites blondir l'oignon environ 2 minutes. Ajoutez le jambon, les pois cassés et les pommes de terre. Mouillez avec l'eau, portez à ébullition, couvrez et laissez mijoter 1 h 30 environ.

Sortez le jambon de la soupe et coupez-en la moitié en lanières. Jetez l'os et gardez le reste du jambon pour une autre recette. Incorporez les petits pois surgelés dans la soupe chaude en tournant. Couvrez et laissez cuire environ 5 minutes. Passez la soupe au mixeur, petit à petit, jusqu'à ce qu'elle soit lisse. Remettez-la dans la casserole, ajoutez les lanières de jambon et l'eau supplémentaire. Couvrez et portez à ébullition. Laissez mijoter 5 minutes.

Servez la soupe accompagnée des croûtons de pain.

Par portion lipides 3,8 g ; fibres 11,5 g ; 1 304 kJ

Soupe aux carottes et lentilles, toasts au carvi

Pour 4 personnes.

- **1,125 l de bouillon de légumes**
- **2 gros oignons (400 g) finement hachés**
- **2 gousses d'ail écrasées**
- **1 c. s. de cumin en poudre**
- **6 grosses carottes (1 kg) grossièrement hachées**
- **2 branches de céleri grossièrement hachées**
- **500 ml d'eau**
- **100 g de lentilles**
- **8 tranches (200 g) de pain**
- **25 g de parmesan finement râpé**
- **2 gousses d'ail supplémentaires écrasées**
- **1 c. c. de graines de carvi**
- **2 c. s. de persil finement haché**
- **125 ml de crème fraîche allégée**

Dans une grande casserole, chauffez 250 ml de bouillon, ajoutez l'oignon, l'ail et le cumin. Laissez attendrir l'oignon en tournant, puis ajoutez les carottes et le céleri. Laissez cuire 5 minutes en remuant. Mouillez avec le reste du bouillon et l'eau, portez à ébullition et laissez mijoter environ 20 minutes. Passez la soupe au mixeur, petit à petit, pour qu'elle soit lisse. Remettez dans la casserole, ajoutez les lentilles et laissez mijoter 20 minutes environ.

Mettez les tranches de pain en une seule couche sur la plaque du four. Faites dorer d'un seul côté sous le gril chaud. Saupoudrez le côté non grillé d'un mélange de parmesan, d'ail supplémentaire, de graines de carvi et de persil. Puis faites dorer légèrement pour faire fondre le fromage. Coupez en deux.

Incorporez la crème fraîche dans la soupe en tournant. Servez avec les toasts au carvi.

Par portion lipides 4,5 g ; fibres 15,9 g ; 1 433 kJ

Galettes de risotto avec sauce au basilic et pancetta

Pour 4 personnes.

- **125 ml de vin blanc sec**
- **1 oignon (150 g) finement haché**
- **1 gousse d'ail écrasée**
- **200 g de riz rond**
- **750 ml de bouillon de poule**
- **2 c. s. de persil finement haché**
- **2 c. s. de ciboulette finement hachée**
- **2 c. s. de parmesan finement râpé**
- **1 blanc d'œuf légèrement battu**
- **4 tranches de pancetta (60 g)**

- **1 c. c. de maïzena**
- **1 c. c. d'eau**
- **180 ml de lait concentré allégé**
- **1 c. s. de basilic finement haché**

Dans une grande casserole, faites chauffer 2 cuillerées à soupe de vin. Ajoutez l'oignon et l'ail, laissez cuire environ 2 minutes. Ajoutez le riz et le reste du vin. Laissez cuire en tournant environ 3 minutes, jusqu'à ce que le vin soit réduit de moitié. Mouillez avec le bouillon et portez à ébullition, couvrez puis laissez mijoter 15 minutes en tournant de temps en temps. Retirez du feu et incorporez le persil, la ciboulette et le parmesan. Laissez refroidir. Incorporez le blanc d'œuf, puis façonnez 4 galettes de pâte au risotto.

Faites griller la pancetta sur une plaque, à four chaud (220 °C ; th. 6), 5 minutes environ. Égouttez sur du papier absorbant. Cassez en petits morceaux.

Dans une grande poêle, faites chauffer de l'huile et faites dorer les galettes des deux côtés. Disposez-les sur la plaque du four et réchauffez à four modéré (180 °C ; th. 4) environ 10 minutes.

Pendant ce temps, délayez la maïzena avec l'eau dans une petite casserole. Ajoutez le lait et portez à ébullition en tournant sans cesse. Quand le mélange commence à épaissir, ajoutez le basilic.

Versez la sauce sur les galettes de risotto et servez avec les morceaux de pancetta.

Par portion lipides 3,6 g ; fibres 2 g ; 1 231 kJ

Rouleaux de crevettes au gingembre

Pour 4 personnes.

- **1,5 kg de crevettes bouquets crues**
- **100 g de gingembre râpé**
- **3 gousses d'ail écrasées**
- **2 c. s. de zeste de citron vert finement râpé**
- **65 g de sucre**
- **80 ml de sauce au piment doux**
- **80 ml de bouillon de poule**
- **12 feuilles de riz**
- **48 petites feuilles d'épinards**
- **125 ml de sauce de soja**

Décortiquez et nettoyez les crevettes puis hachez-les grossièrement. Dans un saladier, mélangez les crevettes, le gingembre, l'ail, le zeste et le sucre. Couvrez et laissez au moins 3 heures au réfrigérateur.

Dans une grande poêle, faites chauffer de l'huile et faites revenir les crevettes en plusieurs fournées, jusqu'à ce qu'elles changent de couleur. Réservez. Versez la sauce au piment et le bouillon dans la même poêle. Faites épaissir la sauce en tournant, puis arrosez les crevettes.

Mettez une feuille de riz dans un grand bol rempli d'eau chaude, laissez ramollir environ 1 minute et sortez-la de l'eau. Posez la feuille sur une planche et séchez-la avec du papier absorbant. Répétez avec les autres feuilles. Au milieu de chaque feuille de riz, disposez 4 feuilles d'épinards et 2 cuillerées à soupe de préparation aux crevettes. Rabattez le haut et le bas puis roulez-les. Servez avec de la sauce de soja.

Par portion lipides 1,9 g ; fibres 2 g ; 1 160 kJ

Galettes de risotto avec sauce au basilic et pancetta (à gauche) ; rouleaux de crevettes au gingembre (à droite).

Polenta avec tomates, asperges et cresson

Pour 4 personnes.

- **500 ml de lait demi-écrémé**
- **170 g de polenta**
- **25 g de parmesan finement râpé**
- **1 courgette (120 g) finement émincée**
- **2 petites aubergines (120 g) finement émincées**
- **4 tomates (760 g) grossièrement hachées**
- **250 g d'asperges parées et coupées en deux dans la longueur**
- **100 g de cresson de fontaine**

Dans une casserole, faites chauffer le lait sans le faire bouillir. Ajoutez la polenta et laissez-la absorber le liquide 10 minutes environ, en tournant. Quand la polenta est moelleuse, incorporez le parmesan. Huilez un moule à gâteau de 22 cm et versez la polenta dedans. Laissez durcir au réfrigérateur. Avec un emporte-pièce rond de 8,5 cm de diamètre, découpez 4 cercles de polenta.

Dans une poêle, faites chauffer l'huile et faites revenir les aubergines et la courgette. Incorporez les tomates en tournant et laissez mijoter environ 5 minutes.

Pendant ce temps, huilez la plaque du four et faites légèrement dorer les asperges sous le gril. Répétez l'opération avec les galettes de polenta.

Servez la polenta avec la préparation à la tomate, les asperges et le cresson de fontaine.

Par portion lipides 3,5 g ; fibres 6,3 g ; 1 085 kJ

Gnocchis sauce à la citrouille

Pour 4 personnes.

- **500 g de citrouille**
- **60 ml de bouillon de poule**
- **500 g de poireaux finement émincés**
- **1 c. s. de sucre**
- **375 ml d'eau**
- **2 c. s. de sauge fraîche finement hachée**
- **125 ml de lait concentré allégé**
- **1 kg de gnocchis frais**

Découpez la citrouille en cubes de 1 cm. Disposez dans un plat à four huilé, puis faites cuire environ 30 minutes à four chaud (220 °C ; th. 6) jusqu'à ce que les dés soient tendres.

Lasagnes d'aubergines et poireaux

Pour 6 personnes.

3 aubergines (900 g)
gros sel
I gros oignon (200 g) finement haché
4 gousses d'ail écrasées
3 grosses tomates (750 g)
**   grossièrement hachées**
2 c. s. de concentré de tomates
65 g de basilic coupé en lanières
I c. s. de margarine allégée
2 poireaux (700 g) finement hachés
2 c. s. de sucre
4 feuilles de lasagnes fraîches
**   mesurant 16 cm x 30 cm (200 g)**
125 g de gruyère allégé râpé

Découpez les aubergines en tranches de I cm d'épaisseur dans la longueur. Mettez-les dans une passoire, saupoudrez de gros sel et laissez reposer 30 minutes. Rincez à l'eau froide et égouttez sur du papier absorbant. Dans une grande poêle, faites chauffer de l'huile et faites dorer les tranches d'aubergines des deux côtés en plusieurs fournées. Réservez.

Dans la même poêle, faites blondir l'oignon et la moitié de l'ail. Ajoutez les tomates, le concentré de tomates et le basilic. Laissez épaissir environ 20 minutes. Passez ce mélange au mixeur et réservez.

Dans la même poêle, faites chauffer la margarine, et faites revenir les poireaux et le reste d'ail. Ajoutez le sucre et laissez cuire 5 minutes de plus pour faire dorer les poireaux.

Découpez une feuille de lasagne pour recouvrir le fond d'un plat à four huilé (plat carré à bords hauts mesurant 19 cm de côté). Mettez-la sur le fond et versez un quart de la préparation aux poireaux, un quart de la sauce à la tomate et un quart du fromage. Répétez l'opération pour les 3 autres couches et terminez par le fromage. Faites cuire à four modéré (200 °C ; th. 5) environ 50 minutes.

Par portion lipides 7,4 g ; fibres 8,8 g ; 911 kJ

Polenta avec tomates, asperges et cresson (à gauche) ; gnocchis sauce à la citrouille (au centre) ; lasagnes d'aubergines et poireaux (ci-dessous).

Dans une grande casserole, portez le bouillon à ébullition et plongez-y les poireaux. Laissez cuire jusqu'à ce qu'ils soient tendres, en tournant. Ajoutez les dés de citrouille et le sucre. Laissez caraméliser environ 10 minutes en remuant. Mouillez avec l'eau, puis ajoutez la sauge et le lait. Passez ce mélange au mixeur pour obtenir une sauce lisse. *(Peut être fait à l'avance. Couvrez et gardez au réfrigérateur).* Remettez la sauce dans la même casserole et faites réchauffer en tournant.

Pendant ce temps, faites cuire les gnocchis dans une grande casserole d'eau bouillante. Égouttez-les. Arrosez les gnocchis chauds de sauce à la citrouille et mélangez.

Par portion lipides 3,5 g ; fibres 4 g ; 2 184 kJ

Brochettes de poulet aux herbes et noix de pécan

Pour 6 personnes.

Trempez les piques en bambou dans l'eau au moins 1 heure avant de servir, pour éviter qu'elles ne brûlent.

- **1 kg de blancs de poulet découpés en petits morceaux**
- **115 g de ciboulette fraîche hachée**
- **75 g d'origan frais finement haché**
- **55 g de marjolaine fraîche hachée**
- **4 gousses d'ail écrasées**
- **1 c. s. de poivre**
- **2 c. s. de bouillon de poule**
- **30 g de noix de pécan grillées**

Embrochez les morceaux de poulet sur 12 piques. Mélangez la ciboulette, l'origan, la marjolaine, l'ail, le poivre et le bouillon dans un plat à four à petits bords. Posez les brochettes dedans, couvrez et laissez reposer au moins 3 heures au réfrigérateur.

Faites dorer les brochettes en plusieurs fournées sur une plaque en fonte huilée (ou un gril ou un barbecue) jusqu'à la cuisson désirée. Servez avec des noix de pécan.

Par portion lipides 7,8 g ; fibres 1,6 g ; 966 kJ

Salade de poulet citronné aux pois chiches

Pour 4 personnes.

- **4 blancs de poulet (680 g) coupés en deux**
- **2 c. s. de zeste de citron finement râpé**
- **300 g de pois chiches rincés et égouttés**
- **1 oignon rouge (170 g) finement haché**
- **2 tomates (380 g) grossièrement hachées**
- **1 c. s. de coriandre fraîche hachée**
- **1 avocat (250 g) grossièrement haché**
- **1 c. s. de jus de citron**

Mélangez le poulet et le zeste de citron dans un bol. Couvrez et laissez reposer au moins 3 heures au réfrigérateur.

Dans un autre bol, mélangez les pois chiches, l'oignon, les tomates, la coriandre, l'avocat et le jus de citron.

Faites dorer le poulet sur une plaque en fonte huilée (ou un gril ou un barbecue) jusqu'à la cuisson désirée. Versez la salade de pois chiches dans un grand bol et disposez le poulet chaud par dessus.

Par portion lipides 14,9 g ; fibres 4,8 g ; 1 480 kJ

Ballotins de poulet et champignons

Pour 4 personnes.

510 g de blancs de poulet découpés en petits morceaux

100 g de champignons finement hachés

1 petit poireau (200 g) finement émincé

125 ml de crème fraîche allégée

1 c. s. de moutarde

60 g de gruyère allégé finement râpé

2 c. c. d'estragon finement haché

8 feuilles de pâte filo

huile

Dans une grande poêle, faites chauffer de l'huile et faites dorer le poulet en plusieurs fournées. Réservez. Dans la même poêle, faites légèrement dorer les champignons en remuant. Ajoutez le poireau et laissez fondre. Remettez le poulet dans la poêle avec la crème fraîche, la moutarde, le fromage et l'estragon. Laissez cuire quelques instants en remuant.

Coupez les feuilles de pâte en deux, dans la longueur. Superposez 4 moitiés de pâte en badigeonnant chaque demi-feuille d'eau. Répétez l'opération avec les autres moitiés. Répartissez la farce sur les demi-feuilles de pâte, puis rabattez les bords et formez des rouleaux. Posez les ballotins sur la plaque du four recouverte de papier sulfurisé, huilez légèrement et faites dorer 10 minutes à four modéré (200 °C ; th. 5).

Par portion lipides 13,8 g ; fibres 2,2 g ; 1 578 kJ

Brochettes de poulet aux herbes et noix de pécan (en haut à gauche) ; salade de poulet citronné aux pois chiches (en bas à gauche) ; ballotins de poulet et champignons (ci-dessus).

Médaillons de porc à l'orange et légumes rôtis

Pour 4 personnes.

4 médaillons de filet de porc (720 g)
1 c. s. de gingembre finement râpé
60 ml de Grand Marnier
2 oranges (360 g)
8 pommes de terre longues (300 g)
huile
400 g de patate douce
2 poireaux (700 g)

Dans un grand bol, mélangez la viande, le gingembre et 1 cuillerée à soupe de liqueur. Couvrez et laissez reposer au moins 3 heures au réfrigérateur.

Pelez les oranges et découpez-les en 4 grosses tranches. Mélangez les tranches d'orange avec le reste de Grand Marnier. Couvrez et laissez reposer au moins 3 heures au réfrigérateur.

Coupez les pommes de terre en deux dans la longueur, huilez un plat à four et disposez-les dedans. Huilez légèrement et faites cuire à four chaud (220 °C ; th. 6) environ 10 minutes. Coupez la patate douce en gros morceaux et huilez. Disposez-les dans le plat à four et faites cuire 20 minutes. Coupez les poireaux en deux dans la longueur. Coupez chaque moitié dans la largeur en 4 morceaux de même taille. Ajoutez également le poireau dans le plat à four et faites cuire 10 minutes de plus, jusqu'à ce que tous les légumes soient tendres et dorés.

Pendant ce temps, faites dorer les médaillons de porc des deux côtés sur une plaque en fonte huilée (ou un gril ou un barbecue) environ 5 minutes ou jusqu'à la cuisson désirée. Couvrez et réservez. Égouttez l'orange au-dessus d'un bol et réservez la liqueur. Faites dorer les tranches d'oranges des deux côtés sur le même gril pendant environ 2 minutes. Faites plusieurs fournées.

Servez la viande avec quelques tranches d'oranges et des légumes rôtis. Arrosez les oranges de liqueur.

Par portion lipides 4,7 g ; fibres 7,5 g ; 1 802 kJ

Porc farci aux châtaignes et aux champignons

Pour 6 personnes.

1 petit oignon (80 g)
1 c. c. d'huile
1 piment vidé et finement haché
100 g de châtaignes finement émincées (conserve)
100 g de champignons parfumés ou champignons de Paris finement

émincés
I c. s. de thym
1,3 kg de filet de porc
15 petites feuilles d'épinards

Coupez l'oignon en rondelles. Dans une grande poêle, faites chauffer de l'huile et faites revenir l'oignon, le piment, les châtaignes, les champignons et le thym. Laissez refroidir 10 minutes.

Découpez tout le gras du porc. Posez la viande sur une planche, bord coupé au-dessus. Faites un rabat en découpant horizontalement le centre. Attention de ne pas couper jusqu'à l'autre bout. Ouvrez le rabat, tapissez de viande, d'épinards et recouvrez de farce aux châtaignes. Enroulez et ficelez tous les 2 cm pour avoir une viande uniforme. *(Peut être faite à l'avance. Couvrez et gardez au réfrigérateur).*

Chauffez un grand plat huilé et faites dorer la viande sur la flamme. Puis faites cuire à four chaud (220 °C ; th. 6) environ 1 heure.

Par portion lipides 3,8 g ; fibres 1,8 g ; 1 110 kJ

Tarte au pain complet, jambon et pommes de terre

Pour 4 personnes.

6 tranches épaisses de pain complet
250 ml de lait demi-écrémé
410 g de petites pommes de terre (sous vide)
100 g de jambon
125 ml de crème allégée
125 ml de lait demi-écrémé supplémentaires
I œuf légèrement battu
2 c. c. de sauge finement hachée
I gousse d'ail écrasée
I c. s. de parmesan finement râpé

Découpez la croûte du pain et jetez-la. Coupez les tranches en gros cubes et mettez-les dans un bol. Arrosez de lait. Laissez tremper 5 minutes.

Huilez légèrement un plat à tarte de 24 cm de diamètre. Coupez les pommes de terre en deux. Disposez la moitié du pain au fond du plat, ajoutez par-dessus la moitié des pommes de terre et la moitié du jambon. Répétez l'opération avec le reste des ingrédients. Mélangez la crème, le lait supplémentaire, l'œuf, la sauge et l'ail. Versez cette sauce sur la tarte. Saupoudrez de parmesan. Faites dorer à four chaud (220 °C ; th. 6) environ 30 minutes.

Par portion lipides 9,6 g ; fibres 2,2 g ; 1 143 kJ

Médaillons de porc à l'orange et légumes rôtis (à gauche) ; porc farci aux châtaignes et aux champignons (en haut à droite) ; tarte au pain complet, jambon et pommes de terre (en bas à droite).

Brochettes de bœuf teriyaki

Pour 4 personnes.

Trempez les piques en bambou dans l'eau au moins 1 heure avant de servir, pour éviter qu'elles ne brûlent.

2 gros oignons rouges (600 g)
500 g de rumsteck découpé
en petites tranches fines
60 ml de sauce teriyaki*
1 c. s. de concentré de tomates
1 gousse d'ail écrasée
1 c. c. de sucre roux
2 petits oignons blancs émincés

Coupez les oignons rouges en deux. Découpez chaque moitié en 6 quartiers. Enfilez les quartiers d'oignon et les tranches de bœuf sur 12 piques. Dans un petit bol, mélangez la sauce, le concentré de tomates, l'ail et le sucre. Badigeonnez les brochettes de cette sauce. Couvrez et gardez au moins 3 heures au réfrigérateur.

Faites dorer les brochettes sur une plaque en fonte huilée (ou sur un gril ou un barbecue) jusqu'à la cuisson désirée.

Par portion lipides 8,6 g ; fibres 2,7 g ; 1 042 kJ (sans le riz).

Suggestion de présentation vous pouvez servir les brochettes saupoudrées d'échalote et accompagnées de riz vapeur.

* À se procurer dans les épiceries asiatiques.

Poulpes grillés avec tomates et pois chiches

Pour 6 personnes.

2 kg de petits poulpes
2 c. s. de sucre roux
60 ml de sauce tomate (ketchup)
2 c. s. de sauce barbecue
2 c. s. de sauce Worcestershire
2 c. s. de vinaigre de malt
9 tomates olivettes (675 g)
2 c. s. de vinaigre balsamique
2 c. s. de sucre roux supplémentaires
2 c. s. d'eau
2 c. s. de menthe fraîche finement hachée
2 x 300 g de pois chiches rincés et égouttés (conserve)
55 g de menthe fraîche supplémentaires finement hachée
55 g de coriandre fraîche finement hachée

Éliminez la tête et le bec des poulpes puis coupez-les en deux. Dans un grand bol mélangez les poulpes, le sucre, les sauces et le vinaigre de malt. Couvrez et gardez au moins 3 heures au réfrigérateur.

Coupez les tomates en deux dans la longueur. Dans un grand plat à four, mélangez les tomates, le vinaigre balsamique, le sucre supplémentaire, l'eau et la menthe. Faites cuire environ 45 minutes à four modéré (180 °C ; th. 4). Retirez les tomates du plat, couvrez et réservez. Mettez les pois chiches dans le même plat et laissez épaissir la sauce environ 3 minutes.

Pendant ce temps, égouttez les poulpes et faites-les cuire en plusieurs fournées sur une plaque en fonte huilée (ou un gril ou un barbecue) jusqu'à ce qu'ils soient tendres. Ajoutez la menthe supplémentaire et la coriandre. Servez les poulpes grillés avec des tomates et des pois chiches rôtis.

Par portion lipides 2,6 g ; fibres 3,4 g ; 1 096 kJ

Brochettes de bœuf teriyaki (à gauche) ; poulpes grillés avec tomates et pois chiches (ci-dessous).

Omelette au maïs et kumara

Pour 4 personnes.

- **1 kumara (400 g)**
- **1 épi de maïs frais (400 g)**
- **1 gros oignon (200 g) grossièrement haché**
- **1 c. s. de sucre**
- **4 œufs légèrement battus**
- **3 blancs d'œuf légèrement battus**
- **125 ml de lait demi-écrémé**
- **60 g de gruyère allégé râpé**

Découpez le kumara en cubes de 2 cm. Enlevez la feuille, la barbe et les extrémités du maïs. Détachez les grains de l'épi. Dans un petit plat à four huilé, mélangez le kumara, l'oignon et le sucre. Secouez le plat pour enduire les légumes d'huile et de sucre. Faites cuire à four très chaud (240 °C ; th. 7) pendant 20 minutes. Incorporez les grains de maïs et laissez cuire 20 minutes de plus. *(Peut être fait à l'avance. Couvrez et gardez au réfrigérateur).* Mélangez dans un grand bol la préparation au kumara, avec le reste des ingrédients.

Versez le mélange dans un plat à tarte carré (19 cm) recouvert de papier sulfurisé. Faites cuire l'omelette à four modéré (180 °C ; th. 4) environ 30 minutes.

Par portion lipides 9,9 g ; fibres 5,6 g ; 1 248 kJ

Haricots épicés et tortillas

Pour 4 personnes.

- **2 oignons (300 g) finement hachés**
- **1 gousse d'ail écrasée**
- **1 poivron rouge (200 g) finement haché**
- **420 g de haricots rouges rincés et égouttés (conserve)**
- **400 g de gros haricots blancs rincés et égouttés (conserve)**
- **2 x 400 g de tomates (conserves)**
- **4 piments vidés et finement hachés**
- **250 ml de bouillon de légumes**
- **2 c. s. de concentré de tomates**
- **2 c. s. de coriandre fraîche finement hachée**
- **2 tortillas de blé mesurant 18 cm de diamètre**
- **huile**
- **1/2 c. c. de piment de cayenne**
- **1/2 avocat (125 g) découpé en cubes**

Dans une grande poêle, faites chauffer de l'huile et faites blondir l'oignon et l'ail en remuant. Ajoutez le poivron, les haricots, les tomates écrasées non égouttées, les piments, le bouillon et le concentré de tomates. Laissez épaissir environ 1 heure. Incorporez la coriandre.

Coupez les tortillas en quartiers et mettez-les sur des plaques de four. Huilez légèrement, saupoudrez de piment de cayenne et faites cuire à four très chaud (240 °C ; th. 7) 8 minutes environ, jusqu'à ce qu'elles soient dorées et croustillantes.

Servez les haricots rouges épicés avec les tortillas et l'avocat.

Par portion lipides 10,7 g ; fibres 15,7 g ; 1 412 kJ

Tartelettes au poivron

Pour 4 personnes.

2 poivrons rouges (400 g)
2 gros oignons (400 g) finement émincés
60 ml de vinaigre balsamique
50 g de sucre
huile
4 feuilles de pâte filo
2 c. s. de basilic frais finement haché
25 g de parmesan finement râpé

Coupez les poivrons en quatre et videz-les. Faites-les rôtir sous le gril ou dans un four très chaud (240 °C ; th. 7) la peau vers le haut ; elle doit cloquer et noircir. Recouvrez les poivrons de film plastique ou de papier pendant 5 minutes. Pelez et coupez en fines bandelettes.

Dans une petite poêle, faites revenir l'oignon et le vinaigre environ 3 minutes, en tournant. Incorporez le sucre et laissez épaissir 5 minutes environ.

Graissez 4 moules à tartes ronds de 12 cm. Coupez les feuilles de pâte filo pour obtenir 16 carrés de 14 cm. Mettez un carré dans un moule, huilez légèrement et disposez un autre carré avec les coins juste à droite des précédents. Recommencez. Tous les fonds de tartes comportent 4 carrés. Faites cuire à four chaud (220 °C ; th. 6) environ 5 minutes. Garnissez d'oignons puis de poivrons et saupoudrez de basilic et de fromage. Remettez à four chaud (220 °C ; th. 6) environ 5 minutes.

Par portion lipides 1,2 g ; fibres 5,5 g ; 465

Omelette au maïs et kumara (en haut à gauche) ; haricots épicés et tortillas (en bas à gauche) ; tartelettes au poivron (à droite).

Côtes de veau sauce aux câpres

Pour 4 personnes.

4 côtes de veau (800 g)
2 gousses d'ail écrasées
1 c. s. de zeste de citron finement râpé
1 gousse d'ail supplémentaire écrasée
1 c. s. de zeste de citron supplémentaire finement râpé
2 courgettes (240 g) grossièrement hachées
3 grosses tomates (750 g) grossièrement hachées
60 ml de bouillon de poule
2 c. s. de concentré de tomates
2 c. s. d'origan haché
2 c. s. de petites câpres égouttées

Dans un grand bol, mélangez la viande avec l'ail et le zeste de citron. Couvrez et laissez au moins 3 heures au réfrigérateur.

Dans une grande poêle, faites chauffer de l'huile et faites revenir quelques instants l'ail et le zeste en plus. Ajoutez les courgettes, les tomates, le bouillon et le concentré de tomates. Laissez les légumes s'attendrir et la sauce épaissir. *(Peut être fait à l'avance. Couvrez et gardez au réfrigérateur).*

Faites dorer les côtes de veau des deux côtés sur une plaque en fonte huilée (ou un gril ou un barbecue) jusqu'à la cuisson désirée.

Incorporez les câpres et l'origan dans la sauce chaude. Servez avec le veau grillé.

Par portion lipides 4,5 g ; fibres 4,6 g ; 957 kJ

Salade de bœuf thaï

Pour 4 personnes.

500 g de rumsteck
60 ml de jus de citron
2 c. s. de menthe fraîche coupée en lanières
150 g d'épinards
2 concombres (260 g) vidés et émincés
1 c. s. de vinaigre
2 c. s. de nuoc mâm
1 c. s. de sucre

Dans un bol, mélangez la viande avec le jus de citron et la menthe. Couvrez et laissez au moins 3 heures au réfrigérateur.

Dans une grande poêle, faites chauffer de l'huile et faites dorer le bœuf des deux côtés, jusqu'à la cuisson désirée. Couvrez et laissez reposer 5 minutes. Coupez en petites tranches fines. Dans un grand bol, mélangez le bœuf, les épinards et le concombre. Arrosez la salade d'un mélange de vinaigre, de nuoc mâm et de sucre.

Par portion lipides 8,6 g ; fibres 2 g ; 954 kJ

Côtes de veau sauce aux câpres (à gauche) ; salade de bœuf thaï (à droite).

Sauté de tofu aux épinards

Pour 4 personnes.

350 g de tofu* ferme

60 ml de sauce hoisin*

60 ml de sauce aux huîtres*

1 c. s. de sauce de soja

1 c. c. de gingembre finement râpé

2 gousses d'ail écrasées

2 c. c. d'huile

1 gros oignon (200 g) émincé

1 poivron rouge (200 g) finement émincé

200 g de haricots mange-tout

350 g d'épinards coupés en lanières

420 g de nouilles fraîches aux œufs

Égouttez le tofu et découpez-le en cubes de 2 cm. Dans un bol, mélangez les sauces, le gingembre, l'ail et le tofu. Couvrez et laissez au moins 3 heures au réfrigérateur.

Faites chauffer de l'huile dans un wok ou une grande poêle et faites revenir l'oignon et le poivron. Quand ils sont tendres, ajoutez les haricots. Réchauffez, et ajoutez les épinards et le mélange au tofu. Réchauffez en tournant.

Pendant ce temps, mettez les nouilles dans un grand bol et recouvrez-les d'eau bouillante. Laissez-les ramollir et égouttez.

Remplissez les bols de nouilles et garnissez de sauce au tofu.

Par portion lipides 8,9 g ; fibres 8,5 g ; 1 491 kJ

* À se procurer dans les épiceries asiatiques.

Rôti de bœuf farci

Pour 4 personnes.

1 oignon (150 g) finement haché

2 c. s. de noix finement hachées

35 g de miettes de pain rassis

1/2 c. c. de zeste d'orange finement râpé

1 c. s. de vin rouge

60 g de moutarde à l'ancienne

2 c. s. de ciboulette hachée

1 morceau de 500 g de filet de bœuf

125 ml de jus d'orange

Dans une petite poêle, faites chauffer de l'huile et faites blondir l'oignon. Dans un petit bol, mélangez l'oignon, les noix, les miettes de pain, le zeste, le vin, 2 cuillerées à soupe de moutarde et la ciboulette. *(Peut être fait à l'avance. Couvrez et gardez au réfrigérateur).*

Découpez une grande poche dans le côté du filet et remplissez de farce. Ficelez fermement. Dans une sauteuse, faites rissoler la viande à feu vif et passez-la dans un plat à four. Puis faites-la cuire à four chaud (220 °C ; th. 6) environ 25 minutes. Sortez le rôti du plat et couvrez-le. Laissez refroidir 5 minutes, puis découpez en tranches épaisses. Faites chauffer le même plat et incorporez le reste de la moutarde et le jus d'orange. Portez à ébullition en remuant, puis servez les tranches de bœuf farci arrosées de sauce.

Par portion lipides 11,4 g ; fibres 2 g ; 1 125 kJ

Sauté de tofu aux épinards (à gauche) ; rôti de bœuf farci (ci-dessus).

Accompagnements

Les garnitures ne sont à négliger en aucun cas. Les recettes proposées dans ce chapitre sont d'ailleurs souvent dignes de constituer un plat principal dans un régime végétarien ou de former d'agréables en-cas pour les gens pressés. Faciles à préparer, riches en fibres et pauvres en graisses, voici de bonnes idées pour un repas du soir tout simple ou pour ceux et celles qui surveillent leur poids. Beaux et savoureux, les légumes sont aussi bons pour la santé et c'est une chance d'avoir autant de manières de les cuisiner.

Haricots verts à l'orange

Pour 4 personnes.

500 g de haricots verts
80 ml de jus d'orange
30 g de noisettes grillées hachées

Faites cuire les haricots à l'eau, à la vapeur ou au micro-ondes. Égouttez. Mettez-les dans un saladier et incorporez le jus d'orange et les noisettes, en tournant.

Par portion lipides 4,8 g ; fibres 4,2 g ; 333 kJ

Salade de tomates et graines de tournesol

Pour 4 personnes.

4 tomates olivettes (300 g)
500 g de tomates cerises
1 c. s. de graines de tournesol grillées
2 c. s. de basilic frais grossièrement haché
125 ml de vinaigrette allégée

Coupez les tomates olivettes en 6 quartiers. Mélangez-les avec les tomates cerises et les graines de tournesol. Ajoutez le basilic dans la vinaigrette, mélangez et versez sur la salade de tomates. Remuez.

Par portion lipides 1,5 g ; fibres 3,6 g ; 222 kJ

Haricots verts à l'orange (devant) ; salade de tomates et graines de tournesol (derrière).

Légumes rôtis au sirop d'érable

Pour 4 personnes.

- **1 kg de petites pommes de terre coupées en deux**
- **400 g de petites carottes épluchées**
- **500 g de petits navets épluchés**
- **500 g de petites betteraves épluchées**
- **1 c. s. de moutarde à l'ancienne**
- **80 ml de sirop d'érable**
- **1 c. c. de poivre noir concassé**
- **2 gousses d'ail écrasées**

Faites cuire les légumes séparément, à l'eau, à la vapeur ou au micro-ondes. Égouttez. Mettez-les dans un plat à four et arrosez-les d'un mélange de moutarde, de sirop, de poivre et d'ail. Faites tourner le plat pour enduire les légumes de ce liquide sirupeux. Faites dorer à four très chaud (240 °C ; th. 7) environ 25 minutes, en remuant de temps en temps.

Par portion lipides 0,7 g ; fibres 15,3 g ; 1 347 kJ

Haricots, citron et câpres

Pour 4 personnes.

- **300 g de haricots beurre**
- **200 g de haricots mange-tout**
- **2 c. s. de petites câpres égouttées**
- **60 ml de jus de citron**
- **2 c. s. d'aneth frais grossièrement haché**

Faites cuire les légumes séparément, à l'eau, à la vapeur ou au micro-ondes. Égouttez.

Dans une grande poêle, faites chauffer de l'huile et faites dorer les câpres en tournant. Ajoutez le jus de citron, les haricots et faites-les chauffer en remuant.

Au moment de servir, saupoudrez d'aneth.

Par portion lipides 0,6 g ; fibres 3,1 g ; 167 kJ

De gauche à droite : légumes rôtis au sirop d'érable ; haricots, citron et câpres ; couscous épicé aux raisins.

Couscous épicé aux raisins

Pour 4 personnes.

2 c. c. de margarine allégée
1 oignon (150 g) finement haché
2 c. c. de cumin en poudre
2 c. c. de curcuma en poudre
500 ml d'eau
400 g de couscous
75 g de raisins secs
2 c. c. de zeste de citron finement râpé

Dans une poêle, faites chauffer la margarine et faites blondir l'oignon en tournant. Ajoutez le cumin et le curcuma, et laissez chauffer quelques instants. Mouillez avec l'eau et portez à ébullition. Incorporez le couscous. Retirez du feu, couvrez et laissez reposer 5 minutes jusqu'à ce que toute l'eau ait été absorbée. Aérez le couscous avec une fourchette. Incorporez délicatement les raisins et le zeste.

Par portion lipides 2,7 g ; fibres 5,4 g ; 1 669 kJ

Légumes asiatiques sautés

Pour 4 personnes.

500 g d'asperges parées
1 oignon (150 g)
1 gousse d'ail écrasée
400 g de chou chinois nettoyé
1 c. s. de sauce de soja douce
2 c. s. d'eau

Coupez les asperges en deux, et l'oignon en quartiers fins. Dans un wok ou une grande poêle, faites chauffer de l'huile et faites blondir l'oignon et l'ail. Ajoutez les asperges et laissez cuire jusqu'à ce qu'elles soient presque tendres. Ajoutez le chou et faites revenir 2 minutes. Délayez la sauce dans l'eau et mouillez les légumes. Laissez cuire, en remuant, jusqu'à ce que le chou commence à flétrir.

Par portion lipides 0,4 g ; fibres 3,6 g ; 158 kJ

Salade de poivrons grillés aux olives

Pour 4 personnes.

2 gros poivrons rouges (700 g)
2 gros poivrons verts (700 g)
2 gros poivrons jaunes (700 g)
50 g d'olives noires dénoyautées
1 c. s. de vinaigre balsamique

Coupez les poivrons en quatre et videz-les. Faites-les rôtir sous le gril ou dans un four très chaud (240 °C ; th. 7) la peau vers le haut ; elle doit cloquer et noircir. Recouvrez les poivrons de film plastique ou de papier pendant 5 minutes puis pelez-les. Dans un saladier, mélangez les morceaux de poivrons, les olives et le vinaigre.

Par portion lipides 1,2 g ; fibres 5,5 g ; 465 kJ

Dans le sens des aiguilles d'une montre en partant de la gauche : légumes asiatiques sautés ; salade de poivrons grillés aux olives ; salade aux deux champignons ; pommes de terre à l'ail.

Pommes de terre à l'ail

Pour 4 personnes.

1 kg de pommes de terre longues
8 gousses d'ail
1 c. c. de sel

Faites cuire les pommes de terre à l'eau, à la vapeur ou au micro-ondes. Égouttez. Coupez-les en deux dans la longueur puis mettez-les avec 6 gousses d'ail dans un plat à four huilé. Saupoudrez de sel. Faites dorer à four chaud (220 °C ; th. 6) environ 45 minutes. Écrasez 2 gousses d'ail, et saupoudrez-les sur les pommes de terre. Mélangez délicatement.

Par portion lipides 0,4 g ; fibres 5 g ; 706 kJ

Salade aux deux champignons

Pour 4 personnes.

300 g de champignons bruns suisses*
300 g de champignons de Paris
150 g de mesclun
60 ml de jus de citron
1 c. s. de moutarde à l'ancienne
1 c. s. de thym

Faites légèrement dorer les champignons, en plusieurs fournées, sur une plaque en fonte huilée (ou un gril ou un barbecue).

Dans un saladier, mélangez le mesclun et les champignons, puis arrosez d'un mélange de jus de citron, de moutarde et de thym.

Par portion lipides 0,7 g ; fibres 4,7 g ; 190 kJ

* Ou tout autre champignon.

Salade d'aubergines, épinards et laitue

Pour 4 personnes.

- **1 petite aubergine (230 g) finement émincée**
- **150 g de petites feuilles d'épinards**
- **1 petite laitue**
- **2 concombres (260 g) vidés et finement émincés**
- **2 petits oignons blancs finement émincés**
- **125 ml de vinaigrette allégée**

Disposez l'aubergine en une seule couche sur une plaque de four. Faites dorer des deux côtés sous le gril. Dans un saladier, mélangez l'aubergine grillée, les épinards, la laitue coupée en morceaux, les concombres, les oignons et la vinaigrette.

Par portion lipides 0,5 g ; fibres 4,4 g ; 175 kJ

Salade de lentilles rouges

Pour 4 personnes.

On peut servir les lentilles chaudes ou froides.

- **300 g de lentilles rouges**
- **2 c. c. de graines de cumin**
- **2 c. c. de coriandre en poudre**
- **4 petits oignons blancs finement émincés**
- **1 gousse d'ail écrasée**
- **60 ml de jus de citron**
- **60 ml de vinaigre**
- **60 g de coriandre fraîche finement hachée**

Mettez les lentilles dans une casserole, recouvrez d'eau et portez à ébullition. Couvrez et laissez mijoter environ 10 minutes. Égouttez-les.

Dans une petite poêle, faites griller les graines de cumin et la coriandre en poudre, en remuant.

Dans un saladier, mélangez les lentilles, les oignons, l'ail, les épices grillés, le jus de citron, le vinaigre et la coriandre fraîche. Remuez et servez.

Par portion lipides 1,9 g ; fibres 11,5 g ; 890 kJ

Salade de légumes au cognac

Pour 4 personnes.

- **1 gros poireau (500 g)**
- **3 grosses carottes (540 g)**
- **60 ml d'eau**
- **60 ml de cognac**
- **2 c. s. de miel**

Découpez les légumes en morceaux de 10 cm de long. Faites chauffer l'eau dans une grande poêle, jetez-y les carottes, couvrez et laissez cuire environ 5 minutes. Ajoutez le poireau et laissez attendrir, en remuant. Mouillez avec le cognac et le miel. Faites chauffer en tournant jusqu'à obtenir une sauce sirupeuse. Servez.

Par portion lipides 0,4 g ; fibres 6,7 g ; 502 kJ

Salade d'aubergines, épinards et laitue (à gauche) ; salade de lentilles rouges (en haut à droite) ; salade de légumes au cognac (en bas à droite).

Salade Cæsar allégée

Pour 4 personnes.

- **1 tranche de pain**
- **150 g de jambon coupé fin**
- **125 ml de crème fraîche allégée**
- **1 c. s. de jus de citron**
- **1 c. s. de moutarde**
- **1 gousse d'ail écrasée**
- **1 salade romaine**
- **2 tomates (150 g) coupées en quartiers**
- **1 concombre (130 g) finement émincé**

Découpez la croûte du pain et jetez-la. Coupez le pain en tranches épaisses de 2 cm puis en carrés de 3 cm. Mettez les cubes en une seule couche sur la plaque du four. Faites dorer les croûtons à four très chaud (240 °C ; th. 7) environ 10 minutes, en les retournant de temps en temps. Laissez refroidir.

Dans une grande poêle, faites légèrement dorer le jambon en remuant.

À part, mélangez la crème fraîche, le jus de citron, la moutarde et l'ail.

Dans un saladier, mélangez la romaine coupée en morceaux, les croûtons, les tomates, le concombre et le jambon. Arrosez de vinaigrette à la crème fraîche allégée, remuez et servez.

Par portion lipides 4,1 g ; fibres 7,5 g ; 1 215 kJ

Salade de pommes de terre grillées

Pour 4 personnes.

- **1 kg de petites pommes de terre coupées en deux**
- **200 g de tranches de jambon**
- **2 gousses d'ail écrasées**
- **2 c. s. de vinaigre**
- **1 c. s. de moutarde à l'ancienne**
- **2 c. c. d'huile d'olive**
- **2 c. c. de ciboulette finement hachée**
- **2 petits oignons blancs finement hachés**

Faites cuire les pommes de terre à l'eau, à la vapeur ou au micro-ondes, égouttez-les, puis faites-les dorer en plusieurs fournées sur une plaque en fonte huilée (ou un gril ou un barbecue). Faites également griller le jambon des deux côtés et coupez-le en morceaux.

Dans un bocal, mélangez l'ail, le vinaigre, la moutarde, l'huile et la ciboulette. Secouez énergiquement. Dans un saladier, mélangez les pommes de terre et les morceaux de jambon, arrosez de vinaigrette et saupoudrez d'oignons.

Par portion lipides 6,4 g ; fibres 4,9 g ; 1 050 kJ

Purée de petits pois

Pour 4 personnes.

- **125 ml de vin blanc sec**
- **1 oignon (150 g) finement haché**
- **125 ml de bouillon de poule**
- **500 g de petits pois surgelés**
- **1 c. s. de menthe fraîche finement hachée**

Dans une poêle, faites chauffer le vin et ajoutez l'oignon. Laissez l'oignon ramollir et le vin réduire de moitié, pendant 5 minutes environ.

Mouillez avec le bouillon et incorporez les petits pois. Portez à ébullition et laissez mijoter environ 10 minutes. Incorporez la menthe, puis passez l'ensemble au mixeur pour obtenir une purée.

Par portion lipides 0,6 g ; fibres 7,9 g ; 394 kJ

De gauche à droite : salade Cæsar allégée ; salade de pommes de terre grillées ; purée de petits pois (à droite).

Fèves et courges en salade

Pour 4 personnes.

1 c. s. de margarine allégée fondue
1 c. c. de zeste de citron finement rapé
1 c. s. de jus de citron
2 c. s. de moutarde à l'ancienne
2 c. s. de persil finement haché
2 grosses courgettes (300 g)
400 g de courges jaunes coupées en morceaux
500 g de fèves surgelées

Pour la sauce, mélangez la margarine, le zeste et le jus de citron, la moutarde et le persil.

Coupez les courgettes en tranches de 1 cm d'épaisseur. Faites cuire les légumes séparément, à l'eau, à la vapeur ou au micro-ondes. Égouttez-les. Dans un saladier, versez la moitié de la vinaigrette sur les légumes chauds et remuez. Arrosez avec le reste de sauce et servez.

Par portion lipides 3 g ; fibres 11,2 g ; 466 kJ

Coleslaw allégé

Pour 4 personnes.

- **2 choux frisés (600 g) finement émincés**
- **1 grosse carotte (180 g) grossièrement râpée**
- **4 petits oignons blancs finement émincés**
- **2 branches de céleri (300 g) finement émincées**
- **60 ml de vinaigre**
- **2 c. s. de moutarde à l'ancienne**

Dans un saladier, mélangez le chou, la carotte, les oignons et le céleri. Arrosez d'un mélange de vinaigre et de moutarde. Remuez et servez.

Par portion lipides 0,6 g ; fibres 7,9 g ; 225 kJ

Salade d'asperges et haricots verts

Pour 4 personnes.

- **500 g d'asperges parées**
- **200 g de longs haricots verts parés**
- **2 petites tomates (260 g) finement hachées**
- **1 petit oignon rouge (100 g) finement haché**
- **1 c. s. de jus de citron**
- **2 c. s. de jus d'orange**
- **2 gousses d'ail écrasées**
- **1 c. s. de vinaigre de cidre**

Coupez les asperges et les haricots en morceaux de 6 cm de long. Ébouillantez les asperges et égouttez-les immédiatement. Faites de même avec les haricots verts. Dans un saladier, mélangez les asperges, les haricots, les tomates et l'oignon. Arrosez d'un mélange de jus de citron et d'orange, d'ail et de vinaigre. Remuez et servez.

Par portion lipides 0,4 g ; fibres 4,1 g ; 196 kJ

De gauche à droite en partant du haut : fèves et courges en salade ; coleslaw allégé ; salade d'asperges et haricots verts.

Chips maison

Pour 4 personnes.

**4 pommes de terre roses
huile**

Sans les peler, émincez les pommes de terre très finement. Rincez bien et tapotez avec du papier absorbant. Recouvrez les plaques du four de papier sulfurisé, disposez une couche de pommes de terre sur chaque et huilez légèrement. Faites dorer à four chaud (220 °C ; th. 6) environ 20 minutes, jusqu'à ce que les chips soient croustillantes.

Par portion lipides 0,1 g ; fibres 1,7 g ; 290 kJ

De gauche à droite : chips maison ; galettes de pommes de terre ; salade de légumes au miel.

Galettes de pommes de terre

Pour 4 personnes.

**1 kg de pommes de terre longues
épluchées
1 gousse d'ail écrasée
1/2 c. c. de poivre
60 g de gruyère allégé finement râpé
2 c. s. de crème fraîche allégée**

Faites cuire les pommes de terre à l'eau, à la vapeur ou au micro-ondes. Égouttez-les et écrasez-les dans un saladier avec le reste des ingrédients. Laissez refroidir. Façonnez à la main des galettes d'environ 80 g. Dans une grande poêle, faites chauffer de l'huile et faites dorer les galettes des deux côtés, en plusieurs fournées.

Par portion lipides 5,9 g ; fibres 4,3 g ; 986 kJ

Salade de légumes au miel

Pour 4 personnes.

400 g de petites carottes
200 g de haricots mange-tout
120 g de petits épis de maïs coupés en deux
1 c. s. de margarine allégée
60 ml de jus d'orange
2 c. s. de miel

Faites cuire les légumes séparément, à l'eau, à la vapeur ou au micro-ondes. Égouttez. Dans une grande poêle, faites chauffer la margarine et jetez-y les carottes, les haricots, le maïs, le jus d'orange et le miel. Faites épaissir en tournant, jusqu'à ce que les légumes soient chauds et la sauce sirupeuse.

Par portion lipides 2,5 g ; fibres 5,4 g ; 557 kJ

Galettes de pommes de terre au paprika

Pour 4 personnes.

2 pommes de terre épluchées
1 c. c. de margarine allégée
1 poireau (350 g) finement émincé
2 gousses d'ail écrasées
1/2 c. c. de paprika
20 g de parmesan finement râpé

Faites cuire les pommes de terre à l'eau, à la vapeur ou au micro-ondes. Égouttez et laissez refroidir. Râpez-les grossièrement.

Dans une grande poêle, faites chauffer la margarine et faites revenir le poireau, l'ail et le paprika en remuant. Dans un bol, mélangez les pommes de terre, la préparation au poireau et le fromage. Faites des galettes de 7,5 cm de diamètre (env. 60 g) sur la plaque du four recouverte de papier sulfurisé. Faites dorer à four très chaud (240 °C ; th. 7) environ 20 minutes.

Par portion lipides 2,5 g ; fibres 3,5 g ; 449 kJ

Salade de roquette aux olives et feta

Pour 4 personnes.

6 tomates olivettes (450 g)
2 c. s. de sucre
2 c. s. de vinaigre balsamique
2 c. c. de moutarde
1 c. s. de sucre supplémentaire
250 g de petites feuilles de roquette
1 gros oignon rouge (300 g) finement haché
50 g d'olives noires dénoyautées et finement émincées
60 g de feta allégée émiettée

Coupez les tomates en deux dans la longueur. Disposez-les, face coupée sur le dessus, sur la plaque du four. Saupoudrez-les de sucre et faites-les cuire à four chaud (220 °C ; th. 6) environ 10 minutes.

Pour la vinaigrette, mélangez le vinaigre, la moutarde et le sucre supplémentaire.

Dans un saladier, mélangez la roquette, l'oignon, les olives et les tomates. Arrosez de vinaigrette, ajoutez le fromage émietté et servez.

Par portion lipides 2,9 g ; fibres 4,3 g ; 566 kJ

Haricots à la tomate

Pour 4 personnes.

1 oignon (150 g) finement haché
2 gousses d'ail écrasées
415 g de purée de tomates (conserve)
2 x 400 g de haricots blancs rincés et égouttés (conserves)
1 c. s. de persil coupé en fines lanières

Dans une poêle, faites chauffer de l'huile et faites blondir l'oignon et l'ail en remuant. Ajoutez la purée de tomates et les haricots, laissez épaissir un peu. Incorporez le persil.

Par portion lipides 1 g ; fibres 11 g ; 556 kJ

Gâteau de citrouille et panais

Pour 4 personnes.

750 g de citrouille
2 gros panais (360 g)
1 gousse d'ail écrasée
huile
1 c. s. de margarine allégée fondue
230 g de miettes de pain rassis

Pelez la citrouille, videz-la et découpez-la en gros cubes. Épluchez les panais et coupez-les également en gros cubes. Mélangez les dés de citrouille et de panais avec l'ail dans un plat à four huilé. Huilez légèrement. Faites dorer à four chaud (220 °C ; th. 6) environ 30 minutes pour attendrir les légumes.

Mélangez la margarine et les miettes de pain, saupoudrez-en les légumes et remuez. Faites dorer 10 minutes de plus.

Par portion lipides 3,3 g ; fibres 4,7 g ; 702 kJ

Salade de roquette aux olives et feta (en haut à gauche) ; haricots à la tomate (en bas à gauche) ; gâteau de citrouille et panais (à droite).

Purée au bacon et à la ciboulette

Pour 4 personnes.

2 tranches de bacon
4 grosses pommes de terre (1,2 kg) coupées en deux
125 ml de crème fraîche allégée
2 c. s. de ciboulette finement hachée

Découpez le gras du bacon et jetez-le. Hachez finement le bacon et faites-le cuire dans une petite poêle pour le rendre croustillant. Égouttez sur du papier absorbant.

Faites cuire les pommes de terre à l'eau, à la vapeur ou au micro-ondes. Égouttez. Passez-les au presse-purée puis incorporez le bacon, la crème fraîche et la ciboulette.

Par portion lipides 3,4 g ; fibres 5,8 g ; 1 165 kJ

Purée au bacon et à la ciboulette (en bas à gauche) ; pommes de terre, tomates et basilic (en bas à droite) ; salade de riz sauvage (à droite).

Pommes de terre, tomates et basilic

Pour 4 personnes.

1 kg de petites pommes de terre coupées en deux
1 c. c. d'huile
1 oignon (150 g) finement émincé
2 gousses d'ail écrasées
2 tomates (380 g) épépinées finement émincées
1 c. s. de vinaigre
180 ml de jus de tomates
1/2 c. c. de sucre
2 c. s. de petites feuilles de basilic

Faites cuire les pommes de terre à l'eau, à la vapeur ou au micro-ondes. Égouttez. Mettez-les dans un plat à four, huilez légèrement et faites dorer à four très chaud (240 °C ; th. 7) environ 30 minutes. Réservez.

Dans une grande poêle, faites chauffer de l'huile et faites blondir l'oignon en tournant. Ajoutez l'ail, les tomates, le vinaigre, le jus et le sucre. Portez à ébullition et laissez épaissir la sauce environ 5 minutes. Dans un saladier, mélangez les pommes de terre et la sauce à la tomate, puis ajoutez le basilic.

Par portion lipides 0,4 g ; fibres 6,4 g ; 806 kJ

Salade de riz sauvage

Pour 6 personnes.

180 g de riz sauvage
400 g de riz complet
2 branches de céleri finement émincées
310 g de maïs en grains égoutté (conserve)
4 tomates (760 g) épépinées finement émincées
160 ml de vinaigrette allégée
2 gousses d'ail écrasées
80 g de persil finement haché

Faites cuire le riz sauvage dans une grande casserole d'eau bouillante. Égouttez-le et rincez-le à l'eau froide. Égouttez de nouveau.

Pendant ce temps faites la même chose avec le riz complet, séparément.

Dans un saladier, mélangez les deux riz, le céleri, le maïs et les tomates. À part, mélangez la vinaigrette, l'ail et le persil. Arrosez le riz de vinaigrette, remuez et servez.

Par portion lipides 2,9 g ; fibres 2,1 g ; 1 700 kJ

Les desserts

Ces merveilleux desserts se préparent en quelques minutes seulement. Grâce à eux, vous pourrez satisfaire vos envies de douceur sans mettre votre silhouette en péril ! Des desserts aux fruits, bien sûr, mais également des mousses et des crèmes, des meringues fondantes, de délicates pâtisseries et même une touche de chocolat !

Mousse à la vanille et ricotta

Pour 4 personnes.

beurre
100 g de ricotta allégée
250 g de fromage frais allégé à la vanille
110 g de sucre en poudre
1 c. c. d'extrait de vanille
1 c. c. de gélatine
125 ml d'eau
250 ml de vin blanc doux
1 gousse de vanille fendue

Beurrez 4 petits plats à four individuels (125 ml). Passez au mixeur la ricotta, le fromage frais à la vanille, 1 cuillerée à soupe de sucre en poudre et l'extrait de vanille. Délayez la gélatine dans 1 cuillerée à soupe d'eau au bain-marie, en tournant. Incorporez la gélatine dans la mousse et répartissez dans les 4 plats. Couvrez et laissez reposer environ 30 minutes au réfrigérateur.

Dans une petite casserole, mélangez le reste de sucre et d'eau, le vin et la gousse de vanille. Faites chauffer en tournant pour dissoudre le sucre. Portez à ébullition et laissez épaissir 5 minutes environ. Retirez la gousse et laissez refroidir le sirop.

Démoulez les mousses sur de petites assiettes. Servez avec le sirop de vin.

Par portion lipides 2,2 g ; fibres 0,02 g ; 982 kJ

Meringues aux fruits des bois

Pour 18 meringues.

2 blancs d'œuf
1 c. c. de jus de citron
110 g de sucre en poudre
50 g de pistaches finement hachées
200 g de fromage frais allégé à la framboise
75 g de framboises
75 g de myrtilles

Battez les blancs d'œuf fermes avec le jus de citron. Ajoutez le sucre petit à petit, en battant pour le faire fondre entre chaque addition.

Recouvrez 3 plaques de four de papier sulfurisé et tracez 12 cercles de 5,5 cm de diamètre sur chaque. Étalez un peu de meringue sur les cercles et saupoudrez de pistaches. Faites cuire à four très doux environ 30 minutes. Ouvrez la porte et laissez refroidir.

Garnissez 18 meringues de fromage frais, de framboises et de myrtilles. Recouvrez de meringues vierges et décorez de fruits frais.

Par portion lipides 0,7 g ; fibres 0,3 g ; 112 kJ (sans les fruits de décoration).

De gauche à droite : mousse à la vanille et ricotta ; meringues aux fruits des bois.

Mangues citronnées

Pour 4 personnes.

440 g de sucre
500 ml d'eau
1 c. s. de zeste de citron vert
finement râpé
60 ml de jus de citron vert
2 c. s. de citronnelle en fines rondelles
2 feuilles de citronnier kaffir*
finement émincées (facultatif)
4 grosses mangues (2,4 kg)

Dans une casserole, mélangez le sucre, l'eau, le zeste et le jus de citron, la citronnelle et les feuilles de citronnier. Faites chauffer à feu doux, en remuant, pour dissoudre le sucre. Portez à ébullition et laissez épaissir le sirop environ 15 minutes.

Pendant ce temps, ouvrez délicatement les mangues en deux, retirez le noyau et ensuite la peau. Mettez les moitiés de mangues dans un grand bol et arrosez de sirop. Servez chaud ou froid.

Par portion lipides 0,9 g ; fibres 6,5 g ; 2 788 kJ

Nashis ou poires grillés à la rose

Pour 4 personnes.

500 ml d'eau
165 g de sucre en poudre
2 1/2 c. c. d'eau
de rose
4 nashis* ou poires (1 kg) coupés
en deux
1 c. s. de miel
1 c. s. de sucre roux

Dans une casserole, mouillez le sucre avec l'eau et l'eau de rose. Faites chauffer à feu doux, en remuant, pour dissoudre le sucre. Ne portez pas à ébullition. Ajoutez les nashis et laissez mijoter 10 minutes environ.

Égouttez au-dessus d'un saladier, couvrez le sirop et réservez au chaud. Mettez les nashis sur une plaque de four, arrosez de miel et saupoudrez de sucre. Faites dorer sous le gril pour faire fondre le sucre. Servez chaud ou froid avec le sirop de rose.

Par portion lipides 0,3 g ; fibres 5,8 g ; 1 339 kJ

*À se procurer dans les épiceries asiatiques.

Fruits frais et yaourt aux fruits de la passion

Pour 4 personnes.

600 g de melon
600 g d'ananas
4 prunes (450 g)
4 figues fraîches (240 g) émincées
200 ml de yaourt allégé
2 c. s. de pulpe de fruits de la passion
60 ml de miel

Coupez le melon, l'ananas et les prunes en petits morceaux. Répartissez-les dans des bols individuels, ajoutez les figues et le yaourt, puis arrosez de fruits de la passion et de miel.

Par portion lipides 1,3 g ; fibres 7,3 g ; 843 kJ

Framboises et pastèque au sirop de noisettes

Pour 4 personnes.

1,5 kg de pastèque
150 g de framboises
60 g de menthe fraîche coupée en lanières
125 ml de jus de citron
2 c. s. de sucre
40 g de noisettes grillées grossièrement hachées

Épluchez la pastèque et coupez-la en gros morceaux. Dans un saladier, mélangez les morceaux de pastèque, les framboises et la menthe.

Dans une petite casserole, mélangez le jus, le sucre et les noisettes. Faites chauffer à feu doux en remuant pour dissoudre le sucre, puis portez à ébullition. Arrosez les fruits de sirop chaud.

Par portion lipides 6,8 g ; fibres 4,7 g ; 713 kJ

Mangues citronnées (en haut à gauche) ; nashis ou poires grillés à la rose (en bas à gauche) ; fruits frais et yaourt aux fruits de la passion (en haut à droite) ; framboises et pastèque au sirop de noisettes (en bas à droite).

Fruits et chocolat

Pour 4 personnes.

250 g de fromage blanc allégé
200 ml de yaourt allégé à la vanille
2 c. c. de chocolat en poudre
100 g de sucre en morceaux
2 c. s. de Cointreau
250 g de fraises
2 grosses bananes (460 g)
2 grosses pommes rouges (400 g)

Passez au mixeur le fromage blanc, le yaourt, le chocolat, le sucre et la liqueur pour obtenir un mélange onctueux. Versez dans un petit saladier, couvrez et laissez refroidir 30 minutes au réfrigérateur.

Coupez les fraises en deux, les bananes en tranches et les pommes en petits morceaux. Servez avec la sauce au chocolat. Trempez les fruits et dégustez.

Par portion lipides 6,5 g ; fibres 5,2 g ; 1 584 kJ

Sandwichs à la crème glacée

Pour 4 personnes.

4 feuilles de pâte filo
huile
1 blanc d'œuf légèrement battu
1 c. s. de pistaches finement hachées
2 c. c. de sucre en poudre
1/4 c. c. de cannelle en poudre
400 g de crème glacée allégée à la vanille
125 ml de chocolat liquide (sans sucre)

Empilez les feuilles de pâte filo en badigeonnant (ou en vaporisant) un peu d'huile entre chaque feuille. Coupez l'ensemble en deux dans la longueur, puis chaque moitié en quatre : vous avez maintenant 8 rectangles. Disposez-les sur les plaques du four huilées. Badigeonnez 4 rectangles de blanc d'œuf, puis saupoudrez de pistaches et d'un mélange de sucre et de cannelle. Faites dorer à four chaud (220 °C ; th. 6) environ 5 minutes.

Disposez les rectangles vierges dans les assiettes, posez une boule de glace à la vanille dessus, arrosez de sauce au chocolat et recouvrez d'un rectangle grillé.

Par portion lipides 5,1 g ; fibres 0,6 g ; 369 kJ

Fruits et chocolat (en haut à gauche) ; sandwichs à la crème glacée (en bas à gauche) ; granité pétillant au citron (en haut à droite) ; sorbet pastèque-menthe (en bas à droite).

Granité pétillant au citron

Pour 4 personnes.

110 g de sucre en poudre
60 ml d'eau
125 ml de jus de citron pressé
500 ml de vin blanc pétillant
2 c. s. de zeste de citron finement râpé
1 blanc d'œuf légèrement battu

Dans une petite casserole, mélangez le sucre, l'eau et le jus de citron. Faites chauffer à feu doux, en tournant, pour dissoudre le sucre. Portez à ébullition et laissez mijoter 5 minutes. Incorporez le vin et le zeste. Versez le mélange dans un moule à cake, couvrez de papier aluminium et laissez prendre au congélateur.

Pilez le mélange, mettez-le dans un grand bol à mixeur et incorporez le blanc d'œuf. Remettez dans le moule, couvrez et laissez prendre à nouveau.

Par portion lipides 0,07 g ; fibres 0,2 g ; 846 kJ

Sorbet pastèque-menthe

Pour 4 personnes.

1,5 kg de pastèque
110 g de sucre en poudre
250 ml d'eau
60 g de menthe fraîche grossièrement hachée
2 blancs d'œuf légèrement battus

Épluchez la pastèque et passez-la au mixeur. Au-dessus d'un grand bol, passez-la au tamis et éliminez la pulpe. Il vous faut 625 ml de jus de pastèque pour réaliser la recette.

Dans une petite casserole, mélangez le sucre, l'eau et la menthe. Faites chauffer à feu doux, en remuant, pour dissoudre le sucre. Ne portez pas à ébullition. Laissez épaissir le sirop environ 10 minutes sans remuer. Versez le sirop dans un bol à travers une passoire et laissez refroidir.

Délayez le jus de pastèque dans le sirop froid. Versez dans un moule rectangulaire de 20 x 30 cm, couvrez de papier aluminium et laissez durcir au froid. Mixez la glace à la pastèque avec le blanc d'œuf jusqu'à obtenir une consistance lisse puis incorporez la menthe supplémentaire. Versez dans un moule à cake de 14 x 21 cm, couvrez et laissez durcir toute la nuit. *(Peut se congeler jusqu'à 2 jours).*

Par portion lipides 0,5 g ; fibres 1,6 g ; 703 kJ (sans la menthe de présentation)

Suggestion de présentation vous pouvez décorer les boules de sorbet mentholé à la pastèque avec des feuilles de menthe fraîche.

Gâteaux pomme-cannelle au sirop de citron

Pour 4 personnes.

beurre
60 ml d'eau
50 g de sucre roux
1 pomme rouge (150 g) avec la peau finement émincée
40 g de margarine allégée
75 g de sucre en poudre
1 œuf légèrement battu
60 ml de lait demi-écrémé
105 g de farine à levure incorporée
1/4 de c. c. de cannelle en poudre
1 citron (140 g)
110 g de sucre en poudre supplémentaires
60 ml d'eau supplémentaires
1 bâton de cannelle

Beurrez 4 moules individuels (160 ml). Dans une casserole, mélangez l'eau et le sucre roux, puis faites chauffer en tournant pour le dissoudre. Ajoutez la pomme et laissez réduire environ 10 minutes, jusqu'à ce que les pommes soient caramélisées. Versez dans les moules.

Dans un petit bol, battez la margarine, le sucre en poudre et l'œuf jusqu'à obtenir une pâte blanchâtre. Mouillez avec le lait puis incorporez la farine et la cannelle. Versez dans les moules. Faites cuire à four modéré (180 °C ; th. 4) environ 20 minutes. Laissez refroidir sur des grilles.

Avec un économe, épluchez une bandelette de 10 cm de zeste de citron. Dans une casserole, mélangez le zeste, 1 cuillerée à soupe de jus de citron, le sucre et l'eau supplémentaires, et le bâton de cannelle. Chauffez pour dissoudre le sucre. Laissez épaissir le sirop environ 12 minutes. Retirez le bâton de cannelle et la bandelette de zeste.

Servez les gâteaux arrosés de sirop de citron chaud.

Par portion lipides 5,6 g ; fibres 1,6 g ; 1 626 kJ

Tartelettes aux noix de pécan

Pour 4 personnes.

Peuvent être faites à l'avance.

beurre
8 carrés de 8 cm de feuille de riz
40 g de noix de pécan
1 blanc d'œuf légèrement battu
1 c. s. de sirop d'érable
2 c. s. de sucre roux
1 c. c. de margarine allégée fondue

Beurrez des moules individuels à bords hauts (80 ml). Mettez un carré de feuille de riz dans chaque moule, puis un second sans superposer les coins. Faites dorer à four modéré (180 °C ; th. 4) environ 5 minutes. Laissez refroidir.

Coupez les noix en trois dans la longueur et mélangez avec le reste des ingrédients dans un petit bol. Versez dans les fonds de tarte et faites cuire à four doux (160 °C ; th. 3) environ 15 minutes. Laissez refroidir les tartelettes dans les moules. *(Peuvent être faites 2 jours à l'avance. Conservez-les dans un récipient hermétique).*

Par portion lipides 3,7 g ; fibres 0,7 g ; 447 kJ

Charlottines framboise-café

Pour 4 personnes.

Utilisez des framboises fraîches.
Le Frangelico est une liqueur italienne parfumée à la noisette.

beurre
2 c. c. de café instantané en poudre
250 ml d'eau chaude
60 ml de Frangelico
8 biscuits à la cuillère (125 g)
60 ml de crème fraîche allégée
150 g de ricotta
55 g de sucre glace
340 g de framboises

Beurrez 4 moules individuels (180 ml). Dans un petit bol, délayez le café dans l'eau chaude. Incorporez la liqueur et laissez refroidir. Coupez les biscuits en deux dans la largeur.

Pour faire la crème, passez au mixeur la crème fraîche, la ricotta et environ 15 g de sucre glace.

Réservez 85 g de framboises pour la sauce. Répartissez les autres framboises dans les moules et posez dessus 1 cuillerée à soupe rase de crème à la ricotta. Trempez les moitiés de biscuit dans le liquide au café et disposez-en deux dans chaque moule. Couvrez et mettez au réfrigérateur environ 3 heures, ou toute la nuit. *(Se conserve jusqu'à 2 jours au réfrigérateur).*

Passez au mixeur les framboises réservées et le reste de sucre glace. Versez la sauce dans un bol à travers une passoire pour éliminer les graines. Démoulez les gâteaux et arrosez-les de sauce.

Par portion lipides 7,9 g ; fibres 4,7 g ; 1 012 kJ

Gâteaux pomme-cannelle au sirop de citron (à gauche) ; tartelettes aux noix de pécan (en haut à droite) ; charlottines framboise-café (en bas à droite).

Des idées coupe-faim

Quand une faim de loup vous assaille entre les repas, vous avez tôt fait de vous jeter sur les sucreries ! Voici donc des recettes délicieuses qui vous aideront à résister. Vous pourrez déguster ces en-cas sans aucun danger. Certaines recettes ne vous prendront que quelques minutes, d'autres se préparent à l'avance... Au cas où la tentation serait trop forte !

Dip à la citrouille

Pour 4 personnes.

1,2 kg de courges musquées grossièrement hachées
2 c. s. de graines de cumin
2 gousses d'ail écrasées
1 c. s. de vinaigre balsamique

Faites cuire les courges dans l'eau, à la vapeur ou au micro-onde. Égouttez-les.

Mélangez avec le cumin et l'ail dans un plat à four. Laissez dorer à four très chaud (240 °C ; th. 7) environ 15 minutes. Écrasez délicatement en incorporant le vinaigre.

Par portion lipides 1,9 g ; fibres 4,3 g ; 477 kJ

Houmous

Pour 4 personnes.

1 c. s. de jus de citron
1/2 petit oignon (40 g) finement haché
1 gousse d'ail écrasée
1/2 c. c. de cumin en poudre
1/2 boîte de pois chiches (210 g) rincés et égouttés
60 ml de lait demi-écrémé
1 c. c. de beurre de cacahuètes
1/4 de c. c. d'huile de sésame
2 c. c. de coriandre fraîche hachée

Chauffez le jus de citron dans une petite poêle avec l'oignon et l'ail, pour les attendrir. Passez-les au mixeur avec le reste des ingrédients.

Par portion lipides 3 g ; fibres 5 g ; 474 kJ

Dip minute à la betterave

Pour 4 personnes.

225 g de tranches de betterave égouttées (conserve)
60 ml de yaourt
1 c. c. de coriandre en poudre
2 c. c. de cumin en poudre

Passez tous les ingrédients au mixeur.

Par portion lipides 0,8 g ; fibres 1,5 g ; 136 kJ

Chips de bagel

Pour 4 personnes.

2 bagels
1 gousse d'ail coupée en deux
huile
2 c. s. de pâte tandoori*
2 c. s. de crème de raifort*

Coupez les bagels en rondelles extrêmement fines et frottez-les d'ail. Disposez-les en une seule couche sur les plaques du four. Huilez légèrement. Badigeonnez la moitié des rondelles de pâte tandoori et l'autre moitié de crème de raifort, avec un pinceau. Faites dorer à four modéré (180 °C ; th. 4) environ 10 minutes jusqu'à ce que les chips soient légères et croustillantes.

Par portion lipides 4,7 g ; fibres 1,9 g ; 745 kJ

Dip minute à la betterave (en haut) ; dip à la citrouille (en dessous à gauche) ; nounours (à droite) ; chips de bagel (en bas).

Tartines de rosbif à la crème de raifort

Pour 4 personnes.

4 tranches de pain de campagne
60 ml de crème fraîche allégée
2 c. c. de raifort
200 g de tranches de rosbif très fines
50 g de petites feuilles de roquette

Coupez chaque tranche de pain en quatre. Dans un bol, mélangez la crème fraîche et le raifort. Garnissez les tranches de rosbif et de roquette. Arrosez de crème de raifort.

Par portion lipides 14,4 g ; fibres 4,2 g ; 1 188 kJ

Pide aux épinards

Pour 4 personnes.

2 c. s. de jus de citron
2 gousses d'ail écrasées
1 oignon (150 g) émincé
100 g de petites feuilles d'épinards
2 petits pide
1 œuf dur finement râpé
60 g de feta allégée émiettée

Chauffez le jus de citron dans une poêle avec l'ail et l'oignon pour les attendrir. Incorporez les feuilles d'épinards et faites cuire, en tournant, jusqu'à ce qu'elles commencent à flétrir.

Sur le haut de chaque pide, découpez un morceau de 5 cm de large sur 4 cm de pro-fondeur. Découpez la mie des couvercles et réservez. Mettez les pide sur la plaque du four, et garnissez de préparation aux épinards en tassant fermement. Saupoudrez les épinards d'œuf et de feta. Remettez les couvercles et faites cuire à four chaud (220 °C ; th. 6) environ 10 minutes. Coupez en tranches épaisses et servez avec des quartiers de citrons.

Par portion lipides 4,4 g ; fibres 3,9 g ; 1 198 kJ

Sandwichs à l'agneau

Pour 4 personnes.

1 c. c. d'huile
2 petits oignons (160 g) finement hachés
2 gousses d'ail écrasées
250 g de hachis d'agneau
1 c. s. de concentré de tomates
1/4 de c. c. de paprika fort
1 c. c. de cumin en poudre
2 petits pide
25 g de mozzarella allégée râpée
2 c. s. de menthe fraîche finement hachée
4 quartiers de citron

Dans une poêle, faites chauffer de l'huile et faites blondir l'oignon et l'ail. Ajoutez l'agneau, le concentré de tomates, le paprika et le cumin. Laissez cuire en tournant.

Fendez les pide en deux, posez la moitié sur la plaque du four et garnissez d'agneau. Saupoudrez de fromage et de menthe puis recouvrez avec l'autre moitié, en sandwich. Faites cuire à four chaud (220 °C ; th. 6) environ 10 minutes. Coupez en tranches épaisses et servez avec des quartiers de citrons.

Par portion lipides 6,8 g ; fibres 3,9 g ; 1 549 kJ

Chips de maïs au four

Pour 4 personnes.

8 tortillas à la farine de maïs
huile
2 c. c. de paprika

Huilez légèrement un côté des tortillas, saupoudrez de paprika et coupez en quartiers. Disposez en une seule couche sur la plaque du four. Faites dorer à four doux (160 °C ; th. 3) environ 15 minutes, jusqu'à ce que les chips soient croustillantes. Vous pouvez les poser sur le manche d'une cuillère en bois, pour la mise en forme. *(Peuvent être préparées 2 jours à l'avance. Conservez-les dans un récipient hermétique).*

Par portion lipides 6,9 g ; fibres 2,2 g ; 785 kJ

Tartines de rosbif à la crème de raifort (en haut à gauche) ; pide aux épinards et sandwichs à l'agneau (en bas à gauche).

Toasts à l'ail et aux fines herbes

Pour 4 personnes.

1 baguette
huile
1 gousse d'ail coupée en deux
60 g de persil finement haché
60 g de ciboulette finement hachée
60 g de basilic finement haché

Coupez la baguette en tranches diagonales de 2 cm d'épaisseur. Disposez-les en une seule couche sur la plaque du four, huilez légèrement et frottez d'ail.

Saupoudrez d'un mélange de fines herbes. Faites dorer à four modéré (180 °C ; th. 4) environ 7 minutes.

Par portion lipides 3,3 g ; fibres 2,3 g ; 696 kJ

Baba ghanoush

Pour 4 personnes.

2 petites aubergines (460 g) pelées et grossièrement hachées
80 ml de yaourt
1 c. s. de jus de citron
2 gousses d'ail écrasées
1 c. c. de beurre de cacahuètes
1 c. c. de cumin en poudre
1/2 c. c. d'huile de sésame
2 c. s. de coriandre fraîche finement hachée

Disposez les aubergines en une seule couche dans un plat à four. Faites cuire à four modéré (200 °C ; th. 5) environ 40 minutes. Passez-les au mixeur avec le reste des ingrédients. Couvrez et laissez reposer environ 30 minutes au réfrigérateur. *(Peut être préparé une journée à l'avance. Couvrez et gardez au réfrigérateur jusqu'au lendemain).*

Par portion lipides 2,3 g ; fibres 3,2 g ; 212 kJ

Dip épicé à la tomate

Pour 4 personnes.

425 g de tomates (conserve)
2 gousses d'ail écrasées
1 petit oignon (80 g) finement émincé
1/2 c. c. de paprika fort
1/2 c. c. de basilic
1/2 c. c. de thym

Dans une petite casserole, mélangez les tomates écrasées (non égouttées) et le reste des ingrédients. Laissez cuire jusqu'à ce que les oignons soient tendres et la sauce épaisse.

Par portion lipides 0,4 g ; fibres 2 g ; 116 kJ

Croûtons à la méditerranéenne

Pour 4 personnes.

3 poivrons rouges (600 g)
huile
4 petites courgettes (360 g) finement émincées dans la longueur
2 grosses tomates (500 g) coupées en tranches épaisses
4 tranches de pain de 2 cm d'épaisseur
60 ml de baba ghanoush
1 c. s. de pistou de tomates séchées
1 c. s. de basilic frais

Coupez les poivrons en quatre et videz-les. Faites-les rôtir sous le gril ou dans un four très chaud (240 °C ; th. 7) la peau vers le haut ; elle doit cloquer et noircir. Recouvrez les poivrons de film plastique ou de papier pendant 5 minutes, et pelez-les.

Huilez légèrement les courgettes et les tomates. Faites dorer des deux côtés, en plusieurs fournées, sur une plaque en fonte huilée (ou un gril ou un barbecue).

Faites griller les tranches de pain des deux côtés, puis recouvrez-les de baba ghanoush, de pistou, de tomates, de poivrons, de courgettes et de basilic.

Par portion lipides 2,8 g ; fibres 5,1 g ; 792 kJ

De gauche à droite, dans le sens des aiguilles d'une montre : croûtons à la méditerranéenne ; dip épicé à la tomate ; chips de maïs au four ; baba ghanoush ; toast à l'ail et aux fines herbes.

chacun. Saupoudrez d'olives. Couvrez et faites cuire à four modéré (180 °C ; th. 4) environ 35 minutes. Découvrez et laissez cuire 25 minutes de plus. Saupoudrez avec le reste de thym-citron. Laissez refroidir puis couvrez et laissez durcir plusieurs heures au réfrigérateur. Éliminez l'excès de liquide.

Servez la ricotta avec les tranches de pain grillé.

Par portion lipides 6,6 g ; fibres 1,3 g ; 925 kJ

Triangles de polenta au saumon

Pour 24 portions.

La polenta doit rester au moins 1 heure au réfrigérateur avant d'être découpée en triangles et poêlée.

huile
1 gros oignon (200 g) finement haché
2 gousses d'ail écrasées
4 pommes de terre (800 g)
500 ml de bouillon de poule
85 g de polenta
100 g de saumon fumé en tranches
200 ml de yaourt au lait de chèvre
2 c. c. d'aneth frais finement haché
2 c. c. de zeste de citron finement râpé

Dans une petite poêle, faites chauffer de l'huile et faites blondir l'oignon et l'ail, en remuant.

Faites cuire les pommes de terre à l'eau, à la vapeur ou au micro-ondes. Égouttez et passez au presse-purée.

Dans une casserole, portez le bouillon de poule à ébullition et incorporez la polenta petit à petit, en tournant. Laissez épaissir environ 10 minutes sans cesser de tourner. Ajoutez l'oignon et la purée. Étalez cette préparation dans un moule à gâteau carré et huilé, de 15 cm. Laissez durcir au réfrigérateur.

Démoulez la polenta et coupez-la en deux rectangles de 7,5 x 15 cm. Découpez chaque rectangle en 6 bâtonnets de 2,5 cm de large, 7,5 cm de long et 5,5 cm de profondeur. Mettez la face mesurant 5,5 cm vers le haut, et coupez en deux dans la diagonale pour former 2 triangles (24 triangles en tout).

Dans une grande poêle, faites chauffer de l'huile et faites dorer les triangles de polenta en plusieurs fournées. Découpez le saumon en lanières. Servez les triangles de polenta garnis de saumon et d'un mélange de yaourt, d'aneth et de zeste de citron.

Par portion lipides 0,6 g ; fibres 0,8 g ; 201 kJ

Pommes de terre aux deux sauces

Pour 4 personnes.

6 grosses pommes de terre (1,8 kg)
2 blancs d'œuf légèrement battus
2 c. s. de sel et d'ail haché

Sauce au piment doux

1/2 petit poivron rouge (75 g)
3 piments vidés et finement hachés
125 ml d'eau
2 gousses d'ail écrasées
220 g de sucre
2 c. c. de vinaigre balsamique

Guacamole au citron

1 petit avocat (200 g) grossièrement haché
1/2 c. c. de zeste de citron finement râpé
1 c. s. de jus de citron
1 petit oignon rouge (100 g) finement haché
1 tomate (190 g) épépinée finement hachée

Faites cuire les pommes de terre (non épluchées) à l'eau, à la vapeur ou au micro-ondes. Égouttez-les et coupez-les en quartiers. Mélangez-les dans un saladier avec les blancs d'œuf, le sel et l'ail. Disposez-les en une seule couche sur des plaques à four huilées. Faites dorer à four très chaud (240 °C ; th. 7) environ 30 minutes. Servez avec de la sauce au piment doux et du guacamole au citron.

Sauce au piment doux Coupez le poivron en deux et videz-le. Faites rôtir sous le gril ou dans un four très chaud (240 °C ; th. 7) la peau vers le haut ; elle doit cloquer

et noircir. Recouvrez les poivrons de film plastique ou de papier pendant 5 minutes. Pelez et hachez grossièrement.

Passez au mixeur avec le piment, l'eau et l'ail. Dans une casserole, mélangez le poivron avec le sucre et le vinaigre. Chauffez en tournant pour dissoudre le sucre. Laissez épaissir la sauce environ 25 minutes jusqu'à ce qu'elle soit sirupeuse. *(Peut être faite 1 semaine à l'avance ; conservez au réfrigérateur).*

Guacamole au citron Mélangez tous les ingrédients dans un bol.

Par portion lipides 9,2 g ; fibres 10,5 g ; 2 592 kJ

Ricotta au thym-citron et pain complet

Pour 4 personnes.

Cette recette doit être préparée à l'avance. Le mieux serait de la faire la veille. Nous avons utilisé du pain complet, mais on peut le remplacer par une autre sorte de pain.

200 g de ricotta allégée
250 g de fromage blanc allégé
1 œuf légèrement battu
1 gousse d'ail écrasée
1 c. s. de thym-citron frais finement haché
2 c. s. d'olives noires dénoyautées grossièrement hachées
8 tranches fines de pain complet

Battez la ricotta dans un petit bol. Incorporez le fromage blanc, l'œuf, l'ail et la moitié du thym-citron. Répartissez le mélange dans 2 plats à four huilés de 500 ml

Empanadas de bœuf

Pour 4 personnes.

260 g de farine
60 g de fromage blanc
125 ml d'eau chaude environ
250 g de hachis de bœuf
1 c. c. de cumin en poudre
210 g de haricots mexicains
au piment (conserve)
1 c. s. d'origan finement haché

Passez au mixeur la farine et le fromage blanc. Mouillez avec de l'eau chaude pour obtenir une pâte douce et collante. Posez-la sur une surface farinée et pétrissez jusqu'à ce qu'elle soit lisse. Enveloppez dans du film plastique et laissez reposer 30 minutes.

Pendant ce temps, pour la garniture, faites revenir la viande et le cumin. Ajoutez les haricots et chauffez en tournant. Incorporez l'origan et laissez refroidir.

Sur une surface farinée, roulez la pâte pour qu'elle fasse 2 mm d'épaisseur. Découpez des ronds de 8,5 cm de diamètre. Faites une boule avec les restes de pâte, roulez et recommencez. Vous devriez obtenir 24 ronds.

Mettez 1 cuillerée à soupe de garniture dans chaque rond et rabattez la pâte en pinçant les bords. Recouvrez de film plastique et laissez reposer 15 minutes au réfrigérateur.

Mettez les empanadas sur des plaques de four recouvertes de papier sulfurisé. Faites dorer à four modéré (200 °C ; th. 5) environ 15 minutes.

Par portion lipides 8,2 g ; fibres 4,5 g ; 1 522 kJ

Samosas de pain

Pour 24 samosas.

huile
5 petits oignons blancs émincés
1 grosse pomme de terre (300 g)
finement hachée
1 c. s. de curry doux en poudre
300 g de pois chiches rincés et
égouttés (conserve)
60 g de petits pois décongelés
1 c. s. de concentré de tomates
60 ml d'eau
24 tranches de pain blanc

Dans une poêle, faites chauffer un peu d'huile et faites revenir les oignons et la pomme de terre, en tournant. Incorporez le curry et laissez cuire quelques instants. Ajoutez les pois chiches, les petits pois, le concentré de tomates et l'eau. Faites cuire pour attendrir les pommes de terre, en remuant de temps en temps. Laissez refroidir. (*Peut être préparé 1 jour à l'avance ; couvrez et conservez au réfrigérateur*).

Découpez le pain en rondelles de 10 cm. Mettez 1 cuillerée à soupe de pommes de terre sur chaque, badigeonnez les côtés avec un peu d'eau et rabattez le pain. Écrasez les bords l'un contre l'autre avec une fourchette. Mettez les samosas sur des plaques de four huilées et vaporisez de l'huile. Faites dorer à four modéré (180 °C ; th. 4) environ 20 minutes.

Par portion lipides 0,8 g ; fibres 1,3 g ; 246 kJ

Bouchées de poulet tandoori

Pour 8 personnes.

Trempez les piques en bambou dans l'eau au moins 1 heure avant de servir, pour éviter qu'elles ne brûlent.

500 g de blancs de poulet
2 c. s. d'épices tandoori
250 ml de yaourt allégé
1 c. c. de cumin en poudre
1 c. c. de coriandre en poudre
1 concombre (130 g) vidé et finement
haché
1 c. s. de jus de citron
1 c. s. de coriandre fraîche finement
hachée

Découpez le poulet en petits morceaux. Dans un bol, mélangez le poulet, les épices tandoori, 125 ml de yaourt, la moitié du cumin et la moitié de la coriandre en poudre. Couvrez et laissez reposer 3 heures ou toute la nuit au réfrigérateur.

Embrochez le poulet sur les piques. Faites dorer les brochettes en plusieurs fournées sur une plaque en fonte huilée (ou un gril ou un barbecue) jusqu'à la cuisson désirée.

Pendant ce temps, mélangez dans un petit bol les restes de yaourt, de cumin et de coriandre en poudre, le concombre, le jus de citron et la coriandre fraîche.

Servez les bouchées de poulet tandoori avec la sauce au yaourt.

Par portion lipides 2,1 g ; fibres 0,4 g ; 420 kJ

Empanadas de bœuf (à gauche derrière) ; samosas de pain (à gauche au centre) ; bouchées de poulet tandoori (à gauche devant) ; tartelettes de mangue aux crevettes épicées (en haut à droite) ; rouleaux de légumes à tremper (en bas à droite).

Tartelettes de mangue aux crevettes épicées

Pour 52 tartelettes.

3 feuilles de pâte filo
huile
200 g de petites crevettes roses décortiquées et finement hachées
1 petite mangue (300 g) finement hachée
¹/₂ petit oignon rouge (50 g) finement haché
1 piment vidé et finement haché
2 c. s. de ciboulette finement hachée

Coupez la pâte filo en carrés de 4 cm. Huilez légèrement chaque portion de pâte et superposez 4 carrés dans un moule à tartelette en décalant systématiquement les angles par rapport à la feuille précédente. Répétez l'opération pour toutes les feuilles.

Faites dorer environ 5 minutes tous les fonds de tarte en plusieurs fournées, à four modéré (180 °C ; th. 4).

Dans un petit bol, mélangez les crevettes, la mangue, l'oignon, le piment et la ciboulette. Garnissez les fonds.

1 tartelette lipides 0,3 g ; fibres 0,1 g ; 48 kJ

Rouleaux de légumes

Pour 4 personnes.

1 grosse carotte (180 g)
2 concombres (260 g) vidés
2 poivrons rouges (400 g) vidés
80 ml de jus de citron
2 c. s. de coriandre fraîche hachée
12 feuilles rondes de riz (21 cm de diamètre)
100 g de sucre en morceaux
60 ml d'eau
60 ml de sauce au piment doux

Émincez la carotte, les concombres et les poivrons en fines bandelettes de 4 cm de long. Mélangez avec 1 cuillerée à soupe de jus de citron et 2 cuillerées à café de coriandre. Divisez en 12 portions.

Mettez une feuille de riz dans un grand bol rempli d'eau chaude, laissez ramollir 1 minute environ. Posez la feuille sur une planche et mettez 1 portion de légumes sur le bord inférieur. Rabattez les côtés et enroulez. Répétez l'opération avec le reste des légumes et les autres feuilles.

Dans une petite casserole, mélangez le reste de jus de citron, le sucre, l'eau et la sauce. Faites chauffer en tournant, sans porter à ébullition, pour dissoudre le sucre. Arrêtez de tourner et laissez épaissir environ 5 minutes. Laissez refroidir, incorporez le reste de la coriandre et servez.

Par portion lipides 0,8 g ; fibres 4,4 g ; 900 kJ

Petits déjeuners et boissons

Si vous en avez assez des sempiternelles tartines beurrées, prenez un bon départ avec ces petits déjeuners originaux ! Du bon petit plat servi lors d'un brunch paresseux au verre de jus de fruits frais siroté en enfilant son manteau, toutes ces recettes associent saveur, énergie et légèreté !

Muesli à la mangue

Pour 4 personnes.

135 g de flocons d'avoine
250 ml de lait demi-écrémé
300 ml de yaourt allégé au miel
2 mangues (860 g)
1 pomme (150 g) finement hachée
2 c. s. de jus de citron
100 g de myrtilles
2 c. s. de miel

Dans un grand bol, mélangez les céréales avec la moitié du lait et du yaourt. Couvrez et laissez reposer 20 minutes au réfrigérateur.

Pendant ce temps, retirez délicatement le noyau de chaque mangue et coupez les moitiés en tranches épaisses. Faites dorer les tranches des deux côtés sur une plaque en fonte huilée (ou un gril ou un barbecue).

Dans les céréales, incorporez le reste du lait et du yaourt, la pomme et le jus de citron. Décorez de myrtilles et de mangue grillée, arrosez de miel.

Par portion lipides 4,3 g ; fibres 5,7 g : 1 530 kJ

Jus de gaspacho

Pour 4 personnes.

850 ml de jus de tomates
1 petit oignon rouge (100 g) haché
1 petit concombre (130 g) épluché et haché
1 piment vidé et haché
1 c. s. de sauce Worcestershire
60 ml de jus de citron
4 branches de céleri entières (600 g) pour la décoration

Passez au mixeur le jus de tomates, l'oignon, le concombre, le piment, la sauce et le jus de citron. Répartissez dans 4 verres et décorez de céleri.

Par portion lipides 0,2 g ; fibres 2,7 g : 285 kJ

Œuf aux asperges, jambon grillé et confiture d'oignon

Pour 4 personnes.

1 c. c. d'huile
2 oignons rouges (340 g) finement émincés
2 c. s. de vinaigre balsamique
75 g de sucre en morceaux
2 c. s. de bouillon de poule
100 g de jambon coupé fin
500 g d'asperges parées
4 œufs

Dans une poêle, faites chauffer la moitié de l'huile et faites blondir les oignons. Ajoutez le vinaigre et le sucre. Faites chauffer en remuant pour dissoudre le sucre. Mouillez avec le bouillon et laissez caraméliser, environ 15 minutes. Laissez refroidir.

Disposez les tranches de jambon en une seule couche sur la plaque du four. Faites légèrement dorer sous le gril.

Faites cuire les asperges à l'eau, à la vapeur ou au micro-ondes. Égouttez.

Dans une grande poêle, faites chauffer de l'huile et faites cuire les œufs à votre goût. Servez-les avec les asperges, le jambon grillé et la confiture d'oignon.

Par portion lipides 6,3 g ; fibres 2,6 g ; 868 kJ

Muesli à la mangue (au fond) ; jus de gaspacho (devant à gauche) ; œufs aux asperges, jambon grillé et confiture d'oignon (à droite).

Pancakes aux bananes et aux épices

Pour 4 personnes.

220 g de sucre
10 clous de girofle
2 c. s. de rhum brun
125 ml d'eau
150 g de farine à levure incorporée
250 ml de crème fraîche allégée
2 blancs d'œuf
**2 grosses bananes (460 g) tranchées
     en diagonale**

Dans une petite casserole, mélangez le sucre, les clous de girofle, le rhum et l'eau. Faites chauffer en tournant, sans porter à ébullition, pour dissoudre le sucre. Puis portez à ébullition et laissez épaissir le sirop environ 5 minutes.

Pendant ce temps, mélangez la farine, la crème fraîche et les blancs d'œuf dans un grand bol. Battez jusqu'à obtenir une pâte lisse. Dans une grande poêle, faites chauffer de l'huile et versez 2 cuillerées à soupe de pâte pour chaque pancake. Faites dorer des deux côtés. Répétez avec le reste de pâte.

Disposez les bananes en une seule couche sur une plaque de four huilée. Badigeonnez avec 2 cuillerées à soupe de sirop et réservez le reste. Faites dorer les bananes.

Pour chaque personne, disposez sur l'assiette, un pancake, une part de banane, un autre pancake, une autre part de bananes, et enfin un autre pancake. Arrosez de sirop.

Par portion lipides 1,8 g ; fibres 3,1 g ; 2 136 kJ

Porridge aux fruits secs

Pour 4 personnes.

150 g d'abricots secs
2 c. s. de miel
250 ml d'eau
1 bâton de cannelle
**1 c. s. de zeste de citron finement
     râpé**
230 g de dattes fraîches
200 g de flocons d'avoine
1,5 l de lait demi-écrémé
1 c. s. d'amandes effilées grillées

Dans une petite casserole, mélangez les abricots, le miel, l'eau, la cannelle et le zeste. Portez à ébullition et laissez épaissir le sirop environ 5 minutes. Laissez refroidir. Coupez les dattes en deux dans la longueur et jetez les noyaux. Ajoutez les dattes aux abricots.

Dans une casserole, mélangez les flocons d'avoine et le lait. Faites gonfler environ 10 minutes.

Égouttez les fruits au-dessus d'un saladier et réservez le sirop. Répartissez le porridge dans les bols et ajoutez les abricots, les dattes et les amandes. Arrosez de sirop.

Par portion lipides 5,6 g ; fibres 21,5 g ; 2 469 kJ

Crème de mangue

Pour 2 personnes.

- **1 grosse mangue (600 g) grossièrement hachée**
- **250 ml de crème fraîche allégée**
- **250 ml de lait demi-écrémé**
- **2 c. s. de lait demi-écrémé en poudre**
- **4 glaçons**
- **1 boule (50 g) de crème glacée allégée**

Passez tous les ingrédients au mixeur.

Par portion lipides 4,8 g ; fibres 3,2 g ; 1 448 kJ

Fruits frappés

Pour 4 personnes (environ 1,5 l).

- **2 grosses mangues (1,2 kg)**
- **¹/₂ melon (1,3 kg)**
- **1 ananas (1,25 kg)**
- **500 ml de jus d'orange**
- **2 c. s. de sucre en poudre**

Pelez les fruits et coupez-les en morceaux. Passez-les au mixeur, petit à petit, puis incorporez le jus d'orange et le sucre.

Par portion lipides 1,4 g ; fibres 12,4 g ; 1 681 kJ

Boisson fruitée au yaourt

Pour 8 personnes (environ 2 l).

- **¹/₂ petite papaye (400 g)**
- **1 grosse orange (300 g)**
- **2 kiwis (170 g)**
- **¹/₂ petit ananas (400 g)**
- **75 g de myrtilles**
- **150 g de framboises**
- **60 ml de pulpe de fruits de la passion**
- **125 ml de yaourt**

Pelez la papaye, l'orange, les kiwis et l'ananas. Coupez les fruits en morceaux et passez-les au mixeur avec le reste des ingrédients, petit à petit.

Par portion lipides 0,8 g ; fibres 4,5 g ; 265 kJ

Pancakes aux bananes et aux épices (en haut à gauche) ; porridge aux fruits secs (en bas à gauche) ; fruits frappés, boisson fruitée au yaourt et crème de mangue (ci-dessous de haut en bas).

Toasts aux fruits et yaourt d'érable

Pour 4 personnes.

1 blanc d'œuf
125 ml de lait demi-écrémé
6 tranches de pain aux fruits
1 c. c. d'huile
200 ml de yaourt allégé à la vanille
1 c. s. de sirop d'érable

Dans un grand bol, battez le blanc d'œuf et le lait. Coupez les tranches de pain en deux, en diagonale, et trempez-les dans ce liquide. Dans une grande poêle, faites chauffer de l'huile et faites légèrement dorer les triangles de pain. Disposez 3 toasts sur chaque assiette et arrosez d'un mélange de yaourt et de sirop d'érable. Vous pouvez y ajouter des fruits frais.

Par portion lipides 2 g ; fibres 1,3 g ; 768 kJ (sans les fruits frais).

Toasts au jambon, à l'avocat et aux tomates rôties

Pour 4 personnes.

4 grosses tomates olivettes (360 g)
1 c. s. de sucre roux
1 petit oignon rouge (100 g) finement émincé
150 g de jambon coupé fin
4 grosses tranches de pain viennois
1/2 petit avocat (100 g) finement émincé
1 c. s. de basilic frais coupé en lanières

Coupez les tomates en deux dans la longueur. Disposez-les, face coupée au-dessus, sur une plaque de four huilée, et saupoudrez-les de sucre. Faites cuire à four très chaud (240 °C ; th. 7) environ 15 minutes. Ajoutez l'oignon et laissez cuire 15 minutes de plus.

Faites dorer le jambon dans une petite poêle. Faites griller le pain et servez-le couvert de jambon, d'oignons, de tomates, d'avocat et de basilic.

Par portion lipides 5,9 g ; fibres 2,6 g ; 652 kJ

Toasts aux fruits et yaourt d'érable (en haut à gauche) ; toasts au jambon, à l'avocat et aux tomates rôties (en bas à gauche) ; muesli léger grillé, bagels aux œufs brouillés et saumon, pain à la banane (à droite, de gauche à droite).

Muesli léger

Pour 8 bols.

180 g de flocons d'avoine
35 g de céréales All-Bran
125 ml de miel
125 ml de jus d'orange pressée
75 g d'abricots secs grossièrement hachés
45 g de pommes séchées grossièrement hachées
85 g de raisins secs
35 g de groseilles séchées
60 g de riz soufflé

Mélangez les flocons d'avoine et les céréales dans un saladier.

Dans une petite casserole, faites fondre le miel avec le jus d'orange, en tournant. Versez la moitié de ce liquide dans les céréales et remuez. Versez ce mélange sur une plaque de four recouverte de papier sulfurisé et faites dorer à four doux (160 °C ; th. 3) environ 20 minutes, en remuant toutes les 5 minutes.

Remettez dans le même saladier, puis ajoutez le reste des ingrédients et de liquide au miel. Versez sur 2 plaques de four recouvertes de papier sulfurisé et faites dorer à four doux (160 °C ; th. 3) environ

10 minutes, en remuant de temps en temps. Laissez refroidir. Conservez dans un récipient hermétique jusqu'à 2 semaines.

Par portion lipides 2,6 g ; fibres 4,6 g ; 1 092 kJ

Bagels aux œufs brouillés et saumon

Pour 4 personnes.

2 œufs légèrement battus
10 blancs d'œuf
2 c. s. de ciboulette finement hachée
2 bagels
1 petit concombre (130 g) finement émincé
200 g de saumon fumé en tranches

Dans un bol, fouettez ensemble les œufs, les blancs d'œuf et la ciboulette. Versez dans une poêle chaude huilée. Faites cuire à feu doux en remuant sans arrêt.

Coupez les bagels en deux et grillez-les des deux côtés. Servez les bagels garnis de concombre, d'œufs brouillés et de saumon.

Par portion lipides 7 g ; fibres 2,1 g ; 1 217 kJ

Pain à la banane

Pour 4 personnes.

185 g de farine à levure incorporée
1 c. c. de cannelle en poudre
1 c. s. de margarine allégée
110 g de sucre
1 œuf légèrement battu
60 ml de yaourt allégé
125 g de purée de banane

Recouvrez le fond et les bords d'un moule à pain (14 x 21 cm) avec du papier sulfurisé.

Dans un saladier, mélangez la farine et la cannelle, puis la margarine. Incorporez le sucre, l'œuf, le yaourt et la banane. Ne malaxez pas trop la pâte, il doit rester quelques grumeaux. Versez dans le moule et faites dorer à four chaud (220 °C ; th. 6) environ 20 minutes. Surveillez en fin de cuisson.

Par portion lipides 4 g ; fibres 2,8 g ; 1 389 kJ

Glossaire

Agneau
Filet de côtelettes Partie des côtelettes désossée et sans gras.

Filet Petit morceau levé sur les côtes.

Alcools et liqueurs
Cointreau Liqueur à l'orange.

Frangelico Liqueur à la noisette.

Grand Marnier Liqueur à l'orange.

Rhum brun Nous avons utilisé un rhum de moindre qualité.

Tia Maria Liqueur au café.

Angostura
Apéritif à base de rhum et d'une infusion d'écorce aromatique, herbes et épices.

Anis étoilé
Fruit séché en forme d'étoile qui a goût d'anis.

Aubergine
Gros légume violet.

Baba ghanoush
Sauce à base d'aubergine, de tahin (crème de sésame), d'ail et de sel.

Bacon
Poitrine de porc maigre, fumée. La partie striée de la tranche est la plus grasse.

Badiane
Voir Anis étoilé.

Bagel
Petit pain en forme d'anneau, bouilli puis cuit au four.

Beurre clarifié
Matière grasse qui peut être portée à haute température sans brûler.

Bœuf
Filet de bœuf À l'arrière de l'épine dorsale.

Rumsteck Partie haute dans la culotte de bœuf.

Bok choy
Aussi connu sous le nom de chou blanc chinois. Comparable aux blettes. Goût frais, légèrement moutardé. Utilisez les tiges ainsi que les feuilles.

Pousses de bok choy Plus tendres et plus délicates que le bok choy.

Bouillon
250 ml de bouillon équivaut à 250 ml d'eau plus 1 bouillon cube ou 1 cuillerée à café de bouillon en poudre.

Brick (feuilles de)
Petites feuilles de pâte rondes et fines à enrouler ; peuvent être remplacées par des feuilles de riz.

Cajun (sauce ou épices)
Mélange de paprika, basilic, oignons, fenouil, thym, poivre de Cayenne et estragon. Utilisé dans la cuisine de la Louisiane.

Cantaloup
Melon du sud de la France.

Câpres
Boutons à fleurs d'une plante méditerranéenne, cuits dans du vinaigre ou séchés et salés. Goût piquant qui relève sauces et condiments.

Cardamome
En gousses, en graines ou en poudre. Saveur caractéristique très parfumée, poivrée et douce à la fois.

Carvi
En graines ou en poudre ; dans des plats épicés ou non.

Champignons
Brun suisse Champignon allant du marron clair au marron foncé ; goût léger.

Champignon de Paris Petit champignon blanc au goût délicat.

Shiitake Petit champignon frais au goût de viande.

Chapelure
Confectionnée à partir de miettes de pain rassis râpé ou mixé.

Châtaignes
Petits tubercules marron à chair blanche

et croquante ; plus croustillantes quand elles sont fraîches. Plus faciles à trouver en conserve ou surgelées, et de plus elles se conservent 1 mois au réfrigérateur après ouverture.

Chou chinois
Également connu sous le nom de chou de Pékin. Ressemble un peu à une romaine, mais son goût est plus proche du chou vert.

Choy sum
Légumes chinois à grandes feuilles.

Ciabatta
Pain italien à croûte dure, cuit au feu de bois.

Citrouille
Légume de la famille des potirons ; plusieurs variétés interchangeables.

Concombre
Légume allongé à la peau verte et fine.

Coriandre
Herbe à feuilles très vertes et au goût relevé.

Courgettes
Jeunes courges allongées ; la peau est vert foncé.

Couscous
Semoule de blé dur, originaire d'Afrique du Nord. Le couscous est aussi un plat, constitué de semoule roulée en boules.

Crème fraîche
35 % de matières grasses minimum. Pas d'additifs

contrairement à la crème épaissie. On peut souvent la remplacer par du fromage blanc, moins riche, ou de la crème fraîche allégée (18 % de matières grasses).

Cresson de fontaine
Petites feuilles rondes croquantes au goût vert foncé, au goût légèrement amer et poivré ; dans des salades, des soupes ou des sandwichs.

Curry
Feuilles On les trouve fraîches ou sèches. Elles ont un léger goût de curry. Employées comme les feuilles de laurier.

Pâte Certaines recettes de cet ouvrage requièrent des pâtes de curry vendues dans le commerce, plus ou moins relevées, de la sauce Tikka, assez douce, à la Vindaloo, très épicée,

5
1
2
3

en passant par la Madras, moyennement forte. Choisissez celle qui vous convient selon vos goûts en la matière.

Poudre Mélange d'épices moulues, commode pour préparer des plats indiens. Comporte, dans des proportions diverses, du piment séché, de la cannelle, de la coriandre, du cumin, du fenouil, du fenugrec, du macis, de la cardamome et du turmeric. Choisissez celle qui vous convient.

Custard
Crème anglaise en poudre parfumée à la vanille ; en paquet ou en conserve.

Épinards
Petites feuilles vertes sur de longues tiges. Se mangent crus ou cuits à la vapeur.

Essences
Ou extraits. Produits par la distillation des plantes.

Extrait d'eau de rose
À base de pétales de rose écrasés. Est utilisé dans différents desserts.

Farine
À levure incorporée La levure est souvent composée de deux tiers d'acide tartique et de un tiers de bicarbonate de soude ;

10 g de levure pour 230 g de farine.

De blé Pour tous usages.

Ficelle de cuisine
Matière naturelle et non traitée élaborée pour servir en cuisine.

Filets de poisson
Morceaux de poisson sans arêtes et sans peau.

Filo (pâte)
Feuilles de pâte grecque ultra-fines, vendues en produits frais ou congelés. Faciles à utiliser. Elles se prêtent aussi bien aux plats salés que sucrés. On peut les remplacer par des feuilles de brick.

Flocons d'avoine
Grains d'avoine cuits à la vapeur et aplatis. Variété traditionnelle.

Fruit de la passion
Petit fruit tropical originaire du Brésil contenant des graines noires comestibles.

Gelée de groseilles
S'utilise aussi bien dans les desserts qu'en sauce ou avec de la viande.

Germes
Petites pousses de haricots et de graines : haricots mungo, soja, luzerne et haricots mange-tout.

Ghee
Voir Beurre clarifié.

Gingembre
Racine aux formes tortueuses d'une plante tropicale. Peut se conserver pelé et couvert de xérès sec dans un bocal au réfrigérateur, ou congelé dans un récipient hermétiquement fermé.

Graines de sésame
Petites graines ovales ; les blanches et les noires sont les plus courantes. Pour les faire griller : étalez-les uniformément sur une plaque à four et enfournez quelques instants à 180 °C (th 5).

Hachis
Viande hachée de bœuf, de porc, de veau ou/et d'agneau.

Herbes
Nous spécifions si nous employons des herbes fraîches ou sèches. 1 cuillerée d'herbes sèches équivaut à 4 cuillerées d'herbes fraîches.

Huile
Arachide À base de cacahuètes moulues. La plus utilisée dans la cuisine asiatique parce qu'elle chauffe sans fumée.

Olive Celles de meilleure qualité sont vierges ou extra-vierges et proviennent du premier pressage de la récolte. Excellente dans les salades et comme ingrédient. Les « légères » ont moins de goût, mais

contiennent tout autant de calories.

Sésame À base de graines de sésame blanches rôties et pilées. Plus pour parfumer que pour cuisiner.

Végétale À base de plantes et non de graisses animales.

Jambon à l'italienne
Jambon cru séché et salé (non fumé) ; tranches fines comme du papier à cigarette.

Gousse de vanille
Gousse longue et fine d'une orchidée qui renferme de petits grains noirs donnant une délicieuse saveur aux pâtisseries.

Kaffir (citronnier)
Originaire d'Afrique du Sud et de l'Asie du Sud-Est. Petit citronnier qui donne des fruits jaune-vert à l'écorce ridée. On utilise essentiellement ses feuilles, très aromatiques. Utilisées fraîches ou sèches dans de nombreux plats asiatiques.

Ketjap manis
Sauce de soja indonésienne, épaisse et sucrée, contenant du sucre et des épices.

Kiwi
Fruit ovale à peau marron ; chair verte.

Kumara
Nom polynésien d'une patate douce à chair orangée souvent confondue avec l'igname.

Lavash
Feuilles de pain non levé ; peuvent être remplacées par des tortillas mexicaines.

Lemon-grass
Herbe très fine dont l'odeur et le goût rappellent le citron ; on utilise la partie blanche à la base de chaque brin.

Lentilles
Légumes secs ; plusieurs variétés nommées et identifiables d'après leur couleur.

Maïs
Les jeunes épis de maïs sont vendus frais ou en

Herbes fraîches

1. Thym-citron
2. Sauge
3. Marjolaine
4. Romarin
5. Persil
6. Persil plat
7. Coriandre
8. Aneth
9. Estragon
10. Thym
11. Ciboulette
12. Menthe
13. Basilic

Melon

Nashi

Papaye

Kiwi

boîte dans la plupart des supermarchés et les épiceries asiatiques.

Vous trouverez la crème de maïs en boîte.

Maïzena
Farine de maïs. Sert à épaissir.

Mesclun
Assortiment de végétaux et de fleurs comestibles, souvent vendu comme un mélange de salades.

Mini-pâtisson jaune
Artichaut d'Espagne ou bonnet-de-prêtre. Courge à peau fine verte ou jaune.

Mirin
Alcool de riz doux et peu alcoolisé utilisé dans la cuisine japonaise.

Mizuna
Feuille de salade verte duveteuse au goût acide.

Moutarde
Graines de moutarde noires ou marron Plus fortes que les graines blanches (ou jaunes) utilisées dans la plupart des moutardes.

Moutarde à l'ancienne Très parfumée, avec des graines concassées.

Moutarde de Dijon Jaunâtre, lisse et assez douce.

Nan
Pain indien plat contenant très peu de levure.

Nashi
Poire japonaise qui ressemble à une pomme.

Noisette
Ou aveline. Noix ronde, grasse et sucrée recou-

verte d'une peau marron qui ne se mange pas ; frottez les noisettes chaudes dans une serviette pour enlever la peau.

Noix de pécan
Noix brun-doré grasse et onctueuse ; délicieuse dans les plats doux ou épicés.

Nouilles
Aux œufs frais À base de farine de blé et d'œufs. Il en existe toute une variété.

Au riz, fraîches Larges, épaisses, presque blanches. À base de riz et d'huile végétale. Doivent être couvertes d'eau bouillante pour éliminer l'amidon et l'excédent de graisse. Utilisées dans les soupes, ou sautées.

De soja Blanches, vendues sous forme de petits paquets ficelés dans les épiceries asiatiques. À consommer dans les soupes, les salades, ou sautées avec des légumes.

Hokkien Nouilles de blé fraîches ressemblant à un épais spaghetti brun-jaune. Doivent être précuites.

Instantanées Cuisent en 2 minutes. Se vendent en petits paquets avec un sachet d'assaisonnement.

Soba Nouilles japonaises fines à base de sarrazin.

Vermicelles de riz À base de riz moulu. Les consommer soit frites, soit sautées après les avoir fait tremper, ou bien dans une soupe.

Oignon
Jaune Chair piquante ; utilisé fréquemment dans toutes sortes de plats.

Rouge Gros oignon violacé à la saveur douce ; très bon cru dans une salade.

Vert Oignon cueilli avant la formation du bulbe, dont on mange la tige verte ; à ne pas confondre avec l'échalote.

Pain bis
Ou pain de son. Croûte croustillante et mie moelleuse. Parfum caractéristique et goût légèrement aigre.

Pancetta
Rouleau de lard fumé italien pris dans le ventre du porc ; peut être remplacé par du bacon.

Papaye
Fruit tropical à chair orange, ressemble au melon.

Kumara

Pomme de terre nouvelle

Roseval

Charlotte

Paprika
Poivron rouge séché et moulu ; fort ou doux.

Parmesan
Fromage sec, dur et très parfumé ; à base de lait écrémé ou demi-écrémé et affiné pendant 1 an minimum.

Pâtes
Fettuccine Environ 5 mm de large, à base de semoule de blé dur et d'œufs ; natures ou bien parfumées aux herbes, au poivre ou aux essences végétales.

Gnocchis Pâtes ovales à base de pomme de terre, de semoule ou de farine ; cuites dans de l'eau ou bien au four avec une sauce.

Lasagnes Feuilles fraîches ou en boîte, séchées.

Tortellini Petites pâtes carrées ou arrondies, fourrées aux épinards et à la ricotta.

Persil
Herbe à feuilles odorantes plates ou non.

Pide
Pain turc à base de farine de blé ; pain plat et long ou petit et rond.

Pignons de pin
Petites graines beiges provenant des pommes de pin.

Pita
Pain libanais à base de farine de blé ; se fend en deux pour former une poche.

Piments
Différentes sortes, différentes tailles ; les plus petits sont les plus forts. Mettez des gants pour les vider et les hacher car ils brûlent la peau ; ils sont moins forts une fois vidés.

Pois chiches
Légumes ronds et farineux de couleur sable.

Pois gourmands
Ou haricots mange-tout. Se mangent entiers, crus ou cuits.

Poivre
Au citron Assaisonnement à base de grains de poivre noir, de citron, de fines herbes et d'épices.

De Cayenne À base de pimients broyés ; peut remplacer les pimients frais : $^1/_2$ cuillerée à café de poudre de piment (Cayenne) pour 1 piment moyen haché.

Vert Baies molles du poivrier généralement conservées en saumure (ou sèches). Elles ont un goût frais particulier qui s'accommode bien avec les sauces à la moutarde ou à la crème.

Poivron
Enlevez toujours les graines et les filaments.

Polenta
Semoule de maïs ; ressemble à la farine de maïs mais en plus grossier. Il existe un plat du même nom.

Pommes de terre
Longues Petites et allongées avec un léger goût de noix ; bonnes au four.

Nouvelles Il ne s'agit pas d'un type de pommes de terre particulier, mais d'une récolte précoce.

Rattes Brun clair, de la longueur d'un doigt. Au goût de noisette. Délicieuses rôties et en salade.

Roses Petites avec des yeux roses ; bonnes à la vapeur, bouillies ou au four.

Poulet
Blanc Filet levé sous la poitrine.

Cuisse Entière, avec l'os et la peau.

Quark
Sorte de fromage blanc ; moelleux et légèrement aigre, à base de lait écrémé ; 9,5 % de matières grasses.

Raifort
Crème Pâte crémeuse à base de raifort râpé, de vinaigre, d'huile et de sucre.

Frais Famille de la moutarde ; la racine a un goût fort et piquant. Souvent utilisé comme condiment.

Raisins secs
Ou raisins de Corinthe. Grains de raisins séchés.

Ricotta
Fromage frais de petit-lait, non affiné.

Riz
Arborio Riz italien à grains ronds qui absorbe bien le liquide, et donc idéal pour le risotto.

Complet Riz entier non poli, avec toutes ses fibres digestes. De couleur marron.

Feuilles de riz (bahn trang) Galettes de pâte de riz. On les plonge dans l'eau chaude pour en envelopper divers ingrédients, comme dans les rouleaux de printemps.

Sauvage Il ne s'agit pas d'une véritable variété de riz, mais d'une graminée spéciale cultivée dans le nord des États-Unis. Saveur finement noisettée et consistance ferme. Cher car difficile à cultiver.

Soufflé Dont les grains ont gonflé par chauffage.

Sambal oelek
Pâte salée faite de piments écrasés, sucre et épices.

Sauces
Barbecue À base de tomates ; pour mariner ou arroser les aliments.

Black bean Germes de soja fermentés, eau et farine de blé.

Chili Mélange de piments, cumin, origan, ail et sel.

Hoisin Sauce chinoise épaisse, douce et épicée, composée de germes de soja fermentés, oignon et ail. Pour mariner et arroser les aliments, ou pour relever les aliments sautés, grillés ou cuits au four.

Huître (sauce aux) Sauce asiatique riche de couleur foncée ; faite d'huîtres et de leur saumure cuites avec du sel et de la sauce de soja, puis épaissie avec de la Maïzena.

Ketchup Tomates, vinaigre et épices.

Nuoc mâm Sauce de poisson salé fermenté ; odeur et goût prononcés. À utiliser avec modération.

Piment doux (sauce aux) Sauce thaïlandaise relativement douce ; piments rouges, sucre, ail et vinaigre.

Pizza À base de tomates, d'herbes et d'épices. Prête à l'emploi.

Prunes (sauce aux) Sauce aigre-douce épaisse : prunes, vinaigre, sucre, piments et épices.

Soja (sauce de) Germes de soja fermentés.

Tabasco Marque d'une sauce extrêmement forte ; vinaigre, petits piments rouges et sel.

Teriyaki Sauce de soja, sirop de maïs, vinaigre, gingembre et autres épices. Donne une brillance caractéristique aux viandes grillées.

Worcestershire Sauce épicée très foncée ; sert à parfumer les viandes, les jus de viande et certains cocktails, ou alors comme condiment.

Sirop
Érable (sirop d') Sève d'érable distillée.

Goût d'érable (sirop au) Sirop à pancakes (petites crêpes épaisses). Sucre de canne et parfum d'érable artificiel.

Maïs (sirop de) Clair ou foncé ; peut être remplacé par du sirop de glucose.

Sucre
Celui que nous avons utilisé dans nos recettes est du sucre cristallisé (sauf indication contraire).

Brut Sucre naturel roux cristallisé.

Cassonade Sucre roux fin et doux, dont la couleur et le goût rappellent la mélasse.

Pain bis

Bagel

Ciabatta

Lavash

Pide

Pita

En poudre Moulu très fin.

Jagré Sucre de cocotier ; généralement vendu en galettes compressées. Peut être remplacé par de la cassonade.

Sucre glace Mélange de sucre extrêmement fin et de Maïzena (environ 3 %).

Tandoori
Mélange d'épices originaire d'Inde : curcuma, paprika, poivre de Cayenne, safran, cardamome et garam masala.

Tat soi
Sorte de chou chinois plat.

Tempeh
Galettes plates de soja ; peuvent être remplacées par du tofu.

Tikka masala
Pâte originaire d'Inde : piment, coriandre, cumin, ail, gingembre, curcuma, huile, fenouil, poivre, cannelle et cardamome.

Tofu
Sorte de crème presque blanche provenant du « lait » de soja écrasé. Frais, il est ferme ou moelleux ; industriel, il est frit ou séché puis mis en feuilles. Le tofu frais se garde jusqu'à 4 jours au réfrigérateur dans de l'eau (changer l'eau tous les jours).

Tomates
Concentré À utiliser dans les soupes, les ragoûts et les sauces.

Olives ou roma Tomates assez petites de forme ovale.

Poires Tomates en forme de poire, rouges ou jaunes.

Purée de tomates En conserve ou en brique ; remplace les tomates fraîches pelées et mixées.

Tomates séchées Se vendent au kilo ou en sachets (sans huile).

Tortilla
Galette mexicaine à base de farine de blé ou de maïs.

Préparez vous-même votre bouillon

Vous pouvez faire ces recettes de bouillon jusqu'à 4 jours à l'avance, puis les conserver au réfrigérateur. Avant de réchauffer un bouillon qui a passé la nuit au froid, pensez à retirer la graisse qui s'est solidifiée à la surface. Si vous voulez le conserver plus longtemps, congelez-le en plusieurs portions.

Il existe bien sûr des bouillons prêts à l'emploi en briques, en cubes ou en poudre. Pour vous donner une idée, 1 cuillerée à café de bouillon en poudre ou 1 bouillon cube délayés dans 250 ml d'eau donneront un bouillon assez fort. Mais attention aux grosses quantités de graisses et de sel dans les bouillons industriels !

Toutes ces recettes donnent environ 2,5 l de bouillon.

Bouillon de bœuf

2 kg d'os à moelle
2 oignons (300 g)
2 branches de céleri hachées
2 carottes (250 g) hachées
3 feuilles de laurier
2 cuillerées à café de grains de poivre noir
5 l d'eau, puis 3 l d'eau

Mettez les os et les oignons hachés dans un plat à four. Faites dorer à four chaud (220 °C ; th. 6) environ 1 heure. Puis mettez-les dans une grande casserole avec le céleri, les carottes, le laurier, le poivre et 5 l d'eau. Laissez mijoter 3 heures. Ajoutez 3 l d'eau et laissez mijoter encore 1 heure. Filtrez.

Bouillon de poule

2 kg de carcasse de poulet
2 oignons (300 g) hachés
2 branches de céleri hachées
3 feuilles de laurier
2 cuillerées à café de grains de poivre noir
5 l d'eau

Mélangez tous les ingrédients dans une grande casserole. Laissez mijoter 2 heures. Filtrez.

Bouillon de poisson

1,5 kg de carcasse de poisson
3 l d'eau
1 oignon (150 g) haché
2 branches de céleri hachées
2 feuilles de laurier
1 cuillerée à café de grains de poivre noir

Mélangez tous les ingrédients dans une grande casserole. Laissez mijoter 20 minutes. Filtrez.

Bouillon de légumes

2 grosses carottes (360 g) hachées
2 gros panais (360 g) hachés
4 oignons (600 g) hachés
12 branches de céleri hachées
4 feuilles de laurier
2 cuillerées à café de grains de poivre noir
6 l d'eau

Mélangez tous les ingrédients dans une grande casserole. Laissez mijoter 1 h 30. Filtrez.

Veau
Côtelettes de veau Petites côtes.

Sous-noix de veau Meilleur morceau pour les médaillons et les escalopes.

Vinaigre
Balsamique Provient exclusivement de la province de Modène en Italie ; fait avec un vin local à base de raisin blanc Trebbiano. Traitement spécial et vieillissement en vieux fûts de bois pour lui donner ce goût unique, à la fois doux et mordant.

De cidre À base de pommes fermentées.

De framboises À base de framboises fraîches macérées dans du vinaigre de vin blanc.

De malt À base de malt d'orge fermenté et de copeaux de hêtre.

De riz À base de riz fermenté.

De vin À base de vin rouge.

De vin blanc À base de vin blanc fermenté.

De xérès Vinaigre de vin moelleux ; tire son nom de sa couleur.

Yaourt au lait de chèvre
En vente dans les épiceries et magasins bio.

Index

• MARABOUT CHEF •

Traduit et adapté de l'anglais par :
Sophie Smith

Packaging :
Domino

Relecture :
Aliénor Lauer

Marabout
43, quai de Grenelle – 75905 Paris Cedex 15

Publié pour la première fois en Australie
en 1999 sous le titre :
Low-fat Meals in Minutes

Dépôt légal n° 72185 - avril 2006
ISBN : 2501047230
Édition 02
Codification : 4096665
Imprimé en Espagne par
Gráficas Estella